TERRORISME

LES ÉDITIONS LA SEMAINE
Charron Éditeur inc.
Une société de Québecor Média
955, rue Amherst
Montréal (Québec) H2L 3K4

www.editions-lasemaine.com

Directrice des éditions : Annie Tonneau
Coordonnateur des éditions : Jean-François Gosselin
Réviseures-correctrices : Monique Lepage, Audrey Faille
Infographie et couverture : Echo international

L'éditeur bénéficie du soutien de la Société de développement des entreprises culturelles du Québec (SODEC) pour son programme d'édition.

Canada

Nous reconnaissons l'aide financière du gouvernement du Canada par l'entremise du Fonds du livre du Canada pour nos activités d'édition.

REMERCIEMENTS
Gouvernement du Québec (Québec) — Programme de crédit d'impôt pour l'édition de livres — Gestion SODEC

Dépôt légal : premier trimestre 2016
Bibliothèque et Archives nationales du Québec
Bibliothèque et Archives Canada

ISBN : 978-2-89703-343-9

Pierre H. Richard
JOURNALISTE

TERRORISME

QUAND TOUT PEUT DEVENIR UNE CIBLE

Une société de Québecor Média

DISTRIBUTEURS EXCLUSIFS

• Pour le Canada et les États-Unis :
MESSAGERIES ADP*
2315, rue de la Province
Longueuil (Québec) J4G 1G4
Tél. : 450 640-1237
Télécopieur : 450 674-6237

* Une division du Groupe Sogides inc.,
filiale du Groupe Livre Québecor Média inc.

• Pour la France et les autres pays :
INTERFORUM editis
Immeuble Paryseine, 3, Allée de la Seine
94854 Ivry CEDEX
Tél. : 33 (0) 4 49 59 11 56/91
Télécopieur : 33 (0) 1 49 59 11 33

Service commande France métropolitaine
Tél. : 33 (0) 2 38 32 71 00
Télécopieur : 33 (0) 2 38 32 71 28
Internet : www.interforum.fr

Service commandes Export —
DOM-TOM
Télécopieur : 33 (0) 2 38 32 78 86
Internet : www.interforum.fr
Courriel : cdes-export@interforum.fr

• Pour la Suisse :
INTERFORUM editis SUISSE
Case postale 69 — CH 1701 Fribourg — Suisse
Tél. : 41 (0) 26 460 80 60
Télécopieur : 41 (0) 26 460 80 68
Internet : www.interforumsuisse.ch
Courriel : office@interforumsuisse.ch

Distributeur : OLF S.A.
ZI. 3, Corminboeuf
Case postale 1061 — CH 1701 Fribourg — Suisse

Commandes : Tél. : 41 (0) 26 467 53 33
Télécopieur : 41 (0) 26 467 54 66
Internet : www.olf.ch
Courriel : information@olf.ch

• Pour la Belgique et le Luxembourg :
INTERFORUM BENELUX S.A.
Fond Jean-Pâques, 6
B-1348 Louvain-La-Neuve
Tél. : 00 32 10 42 03 20
Télécopieur : 00 32 10 41 20 24

LA GUERRE OUBLIÉE

En 1997, avec quelques compagnons, j'ai acheté 297 esclaves dans le désert du Soudan.

Nous les avons rachetés à des revendeurs musulmans qui, eux, les avaient achetés dans les fermes du nord du pays pour les ramener dans le sud, question de les revendre à leurs familles ou à qui en voudrait.

Les musulmans étaient (et le sont encore) arabes. Les esclaves étaient noirs et chrétiens.

Quand j'étais à Nairobi, juste avant de m'envoler pour Lokichokio, dernière étape pour rejoindre le Soudan, tout allait bien. Enfin presque bien.

Nous étions six. Trois militants chrétiens: Lady Caroline Cox, membre de la Chambre des Lords à Londres, Calvin Bombay, un formateur chrétien de Toronto rompu à l'Afrique, et John Ebner, un militant chrétien d'origine américaine qui travaillait alors en Suisse. Et trois journalistes: Linda Slobodian, du *Calgary Herald*, un journaliste allemand dont je n'ai jamais pu prononcer le nom, et moi-même.

Tous ensemble, sans nous connaître, tout à fait clandestinement, nous étions en train de nous diriger vers un territoire où, déjà, deux millions de personnes étaient mortes dans une guerre démente qui voulait qu'un dieu en supplante un autre. Les chiffres quant au nombre de morts ont été révisés à la baisse par la suite. On parle maintenant de 300 000 morts en 14 ans, ce qui est déjà énorme. Cependant, il faut aussi savoir qu'aucun des spécialistes qui avancent ces chiffres n'était sur place. Ils se basent sur des évaluations, font de savants calculs pour en arriver à leurs conclusions, mais, dans le fond, on ne le saura jamais précisément.

« Déjà, en 1983, l'organisme Médecins sans frontières décrivait la situation du Soudan comme "la plus grave et la plus profonde des crises humanitaires que connaisse la planète". Par la suite, la situation ne s'est guère améliorée. Les mots génocide et purification ethnique furent les expressions les plus utilisées par les organismes internationaux pour décrire ce qui s'est passé au Soudan. Le nombre des victimes fut énorme : entre 1,5 million et 1,9 million de morts, selon OXFAM, sans compter les deux millions de personnes déplacées dans la région de Khartoum. Ensuite, plus de la moitié des habitants du Soudan du Sud durent quitter leur foyer. En dix ans, la famine qui faisait déjà 250 000 morts n'était toujours pas éradiquée en 1998, car elle frappait cette année-là 2,6 millions de personnes[1]. »

Voilà qui est plus près de ce que j'ai pu entendre et voir sur place.

En fait, je pense que je ne prenais pas la juste mesure de ce qui se passait à l'époque. Ce qui m'attirait au Soudan, c'était le trafic d'esclaves. Pas une guerre de religions. Sans compter que deux millions de morts, c'est bien difficile à imaginer, surtout quand on se déplace dans un désert.

Je savais évidemment que le trafic des esclaves était une conséquence de cette guerre. Cependant, je ne croyais pas assister à un « djihad » et, à cette époque d'ailleurs, ce n'était pas un sujet dont on parlait couramment.

---

1 http://www.axl.cefan.ulaval.ca/afrique/soudan.htm

Il y avait bien eu Khomeini, 18 ans plus tôt et la guerre entre l'Iran et l'Irak qui avait ensuite eu lieu. Mais on voyait alors surtout la dimension politique et les enjeux économiques de ces affrontements. Et l'on pouvait difficilement imaginer un dérapage vers une islamisation forcée à grande échelle.

Il y avait aussi les Talibans, mais c'était en Afghanistan et, de toute façon, tout le monde se félicitait de l'échec de l'Armée rouge sur ce territoire, sans compter que l'Union soviétique venait de s'effondrer et que la Russie était aux prises avec la résistance tchétchène. Notons ici qu'on parlait de « résistance » en Occident alors que du côté russe, c'est le mot « terroriste » qui était utilisé.

Cette notion est importante : les résistants, dans un conflit, sont toujours les « terroristes » de quelqu'un. Qui sont-ils vraiment ? Des psychopathes assoiffés de sang ? Les défenseurs d'une cause ? Des patriotes ? Des guerilleros ?

Tout dépend par quel bout de la lorgnette on regarde.

Quand Septembre noir a pris d'assaut le stade olympique de Munich, en 1972, tout le monde savait quel était le litige qui avait conduit les Palestiniens à s'en prendre à l'équipe israélienne. On était dans le monde de la politique et dans un monde paramilitaire. On a parlé d'acte terroriste. Pas en Palestine cependant...

Quelques années plus tôt, l'État d'Israël avait été créé et ce sont les terroristes de la Haganah (Irgoun) d'alors qui en occupaient les postes clés. Encore de la politique et du paramilitaire. Et les terroristes d'hier avaient rapidement repris leur lustre.

On peut aussi citer le cas de Cuba. Certes, il y a eu une révolution, mais avant le grand soulèvement populaire qui a chassé du pouvoir Fulgencio Batista, soutenu par les États-Unis, il y avait eu de nombreux gestes posés par le Mouvement du 26 juillet dirigé par Fidel Castro. Donc, à Cuba comme en Israël, il y a bel et bien eu passage de terroristes à dirigeants...

Revenons au Soudan en 1997. À cette époque, il s'agissait de terrorisme d'État et aussi de terrorisme religieux. On n'en parlait pas encore, mais c'était vraiment le cas.

Mes compagnons de voyage, surtout les militants chrétiens, résumaient de façon concise le conflit qui conduisait au trafic d'esclaves : le Nord, disaient-ils, est arabophone et mène une campagne d'islamisation aux dépens des Noirs chrétiens du sud.

La réalité était nettement plus complexe, mais quand on veut faire un discours court, ça peut se défendre.

Ce qui est certain, c'est que, dès 1983, le président Gaafar Nimeiry perçu par plusieurs comme un « libéral », si tant est que ce terme puisse s'appliquer à un politicien de cette région, avait forcé l'islamisation de la société soudanaise, y compris dans le sud du pays pourtant majoritairement chrétien. Son but était l'instauration d'un gouvernement central puissant. C'était déjà la politique de son prédécesseur, Ibrahim Abboud.

« Les régimes autoritaires qui se succédèrent après l'indépendance (1er janvier 1956) favorisèrent naturellement l'idéologie nordiste : le projet constitutionnel s'est orienté sur un Soudan unitaire, avec l'arabe pour langue officielle et l'islam pour religion d'État. À partir de 1965, l'arabe remplaça progressivement l'anglais, même dans l'enseignement supérieur. La dictature militaire du régime du général ***Ibrahim Abboud*** *(1958-1964) imposa l'arabisation et l'islamisation dans tout le Sud : l'enseignement de l'arabe et de l'islam devint obligatoire. Toutes sortes de mesures furent instaurées pour accélérer le processus d'arabisation et d'islamisation, y compris les menaces, les arrestations et les massacres. La répression systématique envers le Sud aggrava les tensions jusqu'à ce que les conflits armés aboutissent à une véritable guerre civile.*[2] »

2 http://www.axl.cefan.ulaval.ca/afrique/soudan

Sa politique se heurtera à celle de John Garang, un colonel déserteur de l'armée soudanaise qui souhaite alors voir naître un Soudan laïc et socialiste. Ce dernier dirigera la rébellion dès 1983, malgré de nombreuses luttes intestines et de multiples scissions des opposants au régime central de Khartoum.

C'est sur cette toile de fond que je me suis retrouvé avec les autres à l'aéroport Heathrow de Londres pour assister, sans en prendre véritablement conscience, à la mutation du terrorisme. Là où j'allais, on avait sonné le rappel des troupes pour faire entendre « la voix », pour répandre la bonne parole. À l'avenir, le discours terroriste, même s'il demeurerait politique pour certains, serait d'abord et avant tout religieux.

TIMBRE-POSTE

À l'époque, je travaillais pour *Le Journal de Montréal* qui avait pour politique de donner une bourse annuelle à un de ses journalistes pour faire un grand reportage.

Quelques semaines avant mon départ pour Londres, j'avais lu dans le journal un entrefilet émanant de l'AFP (Agence France Presse) mentionnant qu'un certain Calvin Bombay, un type de Toronto, préparait une expédition pour aller acheter des esclaves au Soudan. L'article, si l'on peut dire, tenait sur une seule colonne et ne faisait guère plus de dix lignes. Un bouche-trou.

Même s'il ne s'agissait que d'un timbre-poste, je suis allé voir mon patron, Jean Roy, pour lui mentionner qu'il serait bon que le Journal s'intéresse à la vente d'esclaves à une période où l'Occident au complet ne paniquait que devant un élément : le tournant de l'an 2000 et ce qu'il fallait faire pour maintenir les ordinateurs en marche !

(Heureusement, il reste encore un autre millénaire avant de voir se reproduire une semblable ineptie !)

À ma grande surprise, la direction m'a alors demandé de développer le sujet, ce que j'ai fait en accumulant des informations parcellaires à ce propos. Puis, on m'a dit que j'avais 7 000 $ pour faire le reportage. La somme semblait importante, a priori.

Puisant à même les fonds, je me suis rendu à Toronto rencontrer Calvin Bombay qui m'a regardé d'un œil soupçonneux quand je lui ai expliqué que je voulais faire partie de son expédition. Il m'a expliqué que je devais être en forme, très, très en forme, parce que tout là-bas allait se faire à pied, qu'il n'y avait aucune route ni aucun véhicule. J'avais 44 ans et cela ne m'énervait pas. J'étais certain de pouvoir tenir le coup.

Bombay m'a alors demandé 2 500 $ pour ma participation à l'expédition. Je n'ai pas hésité une seconde, même si je trouvais que mon magot fondait bien vite.

De retour à Montréal, je me suis entraîné à marcher pendant des semaines, à tel point que mon chien se cachait quand je sortais la laisse...

Puis, il y eut l'arrivée en Angleterre et en Afrique, un continent que je connais mal.

Dès l'arrivée à Nairobi, au Kenya, je me suis retrouvé dans un univers clandestin qui ne m'était pas étranger. Ce n'était pas celui que j'avais connu en URSS, mais cela y ressemblait. Accueil officiel dans un hangar, douanes inexistantes, bagages perdus – ce qui allait me valoir un tas d'ennuis – et nouveau départ pour une destination inconnue, Lokichokio, dernière étape avant le Soudan.

C'est dans l'avion, bourré de bagages, que je découvre vraiment l'équipage avec qui je vais faire la transaction, avec qui je devais acheter ces esclaves.

Il y a tout d'abord la baronne de Cox, Caroline Cox, membre de la Chambre des Lords d'Angleterre. Elle a tout juste 60 ans à cette époque et, visiblement, c'est une femme énergique.

Je ne peux rien en dire de plus, à ce moment.

Il y a aussi Linda Slobodian, une femme de mon âge qui est journaliste à Calgary et qui, de son propre aveu, « ne peut aller s'acheter un paquet de cigarettes au dépanneur sans se maquiller avant de sortir ». Et aussi Calvin Bombay, dans la soixantaine avancée, l'homme qui m'a dit que l'aventure serait dure et qu'il valait mieux que je sois en forme. Il a au moins vingt kilos en trop et ne semble pas trop s'en faire.

Je me dis donc que ce ne sera pas si dur.

Un dénommé John Ebner, un Américain sec, mince et à l'air constamment préoccupé nous accompagne aussi.

Et Heather, notre pilote, une femme dans la cinquantaine qui semble tout droit sortie de chez la coiffeuse et prête à se rendre à une soirée mondaine.

Enfin, un Allemand sévère, qui parle anglais avec un accent aussi tranchant que le mien. J'apprendrai le lendemain que nous exerçons le même métier.

L'avion se pose enfin en plein désert.

Pour l'Afrique aux forêts luxuriantes, on repassera.

L'équipage nous dit de descendre pendant qu'on balance des ballots de marchandises à des types en sandales et en bermudas armés de Kalachnikov chinoises et de RPG-7 russes[3]. Ils ne portent pas vraiment d'uniformes. Ils sont vêtus un peu n'importe comment, mais ce sont les militaires du coin, les rebelles du SPLA (Armée populaire de libération du Soudan), les hommes de John Garang, le leader du sud du Soudan qui tient tête aux dirigeants de Khartoum depuis 1983.

3 RPG-7 : Des lance-roquettes ou des bazookas.

Je me retrouvais donc dans le désert du Soudan, à des températures hallucinantes. Les habitants locaux que je croisais me racontaient comment leurs familles avaient été décimées au nom d'Allah par des hordes de jeunes gens qui arrivaient de Khartoum par train et qui déferlaient ensuite dans le désert à dos de chameau, tuant tous les hommes et récupérant les femmes et les enfants pour ensuite les revendre dans le nord du pays aux fermiers qui avaient besoin de main-d'œuvre.

Les mollahs, à Khartoum, n'avaient pas réussi à convaincre les militaires (ce qui est quand même étrange) de participer à leurs expéditions d'islamisation. Les jeunes miliciens musulmans se chargeaient de faire le travail, mais, comme ils n'étaient pas payés, ils prenaient les femmes et les enfants du sud pour les vendre aux fermiers dans le nord.

Les curés musulmans ou les mollahs, ou imams, ou cheikhs, peu importe le nom, avaient décidé que le Nord, musulman et arabe, apporterait la bonne parole au Sud, chrétien et noir, me faisait-on alors valoir.

Et, ajoutait-on, des petits malins arabes avaient trouvé une façon de se faire un peu plus d'argent sur le dos de ces misérables : ils rachetaient les esclaves aux fermiers auxquels ils avaient été vendus et les ramenaient dans le sud pour les revendre, avec profit évidemment, à leurs familles ou à leurs communautés.

C'est avec ces gens-là que nous avons fait affaire sous un arbre géant après avoir marché pendant des jours dans le désert. L'achat des 297 personnes nous a coûté 30 000 $, en liquide.

Sans véritablement m'en rendre compte, j'étais aux premières loges d'un combat qui commençait à peine : l'islamisation, par la force si nécessaire.

Cela se passait au Soudan, dans des villages dévastés, sans route pour s'y rendre, sous un soleil à faire mourir.

Aujourd'hui, cette islamisation forcée est en train de gagner du terrain. Pas uniquement au Soudan.

La bonne parole se doit d'être entendue et tous les moyens sont bons pour la faire entendre.

La guerre sainte, le djihad, est en cours.

QUAND LE VIRTUEL GAGNE SUR LE RÉEL

La guerre change souvent de visage et ici, au Québec, nous sommes bien placés pour en témoigner. Il suffit de rappeler le mépris que Montcalm, un militaire professionnel, avait pour les miliciens canadiens qui avaient adopté les techniques militaires amérindiennes en effectuant des raids en forêt et des descentes de rivière en canot. « *N'ayant jamais reçu de formation militaire, la milice ne tenait aucunement compte des manœuvres et des batailles rangées à l'européenne. Un milicien de la Nouvelle-Angleterre, William Pote, prisonnier à Québec entre 1745 et 1747, avoua n'avoir jamais vu de milices « si ignorantes des usages militaires.*[4] »

Ironie du sort, l'ennemi contemporain auquel tout le monde se heurte fait aussi étalage d'une ignorance flagrante des « usages militaires ». Cependant, si, aujourd'hui, on assiste encore à de tels changements, il ne s'agit plus, cette fois, de raids contre des colons dispersés dans les campagnes de la Nouvelle-Angleterre.

La guerre contre les INFIDÈLES, que nous sommes, et un Islam qui prend certains enseignements au pied de la lettre est en cours. La déclaration de guerre de François Hollande et de Barack Obama vient, il est vrai, de façon bien tardive.

---

4 *L'implantation du français au Canada – La milice canadienne.* http://www.axl.cefan.ulaval.ca/francophonie/HISTfrQC_s1_Nlle-France.htm

Un peu comme si les Français et les Russes avaient déclaré la guerre à l'Allemagne en constatant que les Panzers de la Wermacht étaient aux portes de leurs capitales respectives.

Les tactiques militaires classiques sont de bien peu d'utilité dans l'étrange combat qui s'est engagé il y a déjà plus d'une vingtaine d'années entre l'Occident et certaines factions de l'Islam. En fait, assez curieusement, c'est l'arsenal de gadgets civils ainsi que les omniprésents médias qui donnent une vigueur et un pouvoir insoupçonnés aux détracteurs des Occidentaux.

L'ennui, c'est que faire taire les médias n'est pas une solution, loin de là.

Et puis, il faut aussi songer aux « médias » sociaux.

Si le salmigondis de fausses nouvelles qu'on y retrouve est réel, il faut aussi admettre que la transmission instantanée d'une certaine réalité, même si elle finit par être déformée, est elle aussi réelle. Et parfois utile comme on l'a vu à Paris, à Ottawa, à Saint-Jean-sur-Richelieu, à Madrid, à Londres et même à Bamako.

Cependant, si ces interventions « médiatiques » offrent un certain avantage aux forces de l'ordre, elles constituent le levier que recherchent ceux qui causent les troubles dont nous cherchons à nous défendre.

Sans la publicité faite par les médias, traditionnels ou sociaux, le combat terroriste est voué à l'échec ou devra se contenter de frappes qui n'auront pas l'importance requise pour que des autorités militaires, policières ou politiques d'un pays structuré s'y arrêtent sérieusement.

Comprenons-nous bien : il est évident que n'importe quel État de droit constatant un attentat contre ses intérêts, sur son territoire ou à l'extérieur de ses frontières, réagira et tentera de punir le ou les auteurs de l'attentat. Cette logique était courante il y a 30 ou 40 ans. Elle l'est toujours, dans une moindre mesure…

REVENDICATIONS

Quand Septembre Noir a pris des otages aux Jeux olympiques de Munich en 1972, tout le monde savait ce dont il s'agissait: les Palestiniens — ou du moins une faction palestinienne — revendiquaient leur droit à l'autonomie et à un territoire qu'ils estimaient occuper depuis suffisamment longtemps pour qu'il leur appartienne. Le commando palestinien réagissait également à la guerre des Six Jours au cours de laquelle Israël s'était emparé de territoires arabes.

Quand Carlos (Ilich Ramirez Sanchez) s'en prend aux membres de l'OPEP, en 1975, on le relie rapidement au Front populaire de libération de la Palestine.

Les motivations des Brigades Rouges (Italie) et de la Bande à Baader (Allemagne) ou encore d'Action Directe (France) ne sont pas inconnues non plus des autorités des différents pays concernés, bien qu'il soit nécessaire de faire extrêmement attention, les actions des services de renseignements des différents États ayant créé de toutes pièces des attentats visant à dramatiser les situations.

Le cas de l'attentat de la gare de Bologne, toujours inexpliqué officiellement, en est un bel exemple. Non moins de 85 personnes ont été tuées et 200 autres ont été blessées. On a immédiatement visé l'extrême-droite italienne et même des francs-maçons.

En 1995, les supposés exécuteurs de la tuerie, le néo-fasciste Valerio Fioravanti et son épouse Francesca Mambro, continuaient de clamer leur innocence. La condamnation de trois autres personnes, comme le maçon Licio Gelli et deux officiers du SISMI (les services secrets militaires italiens de l'époque), le général Pietro Musumeci et le colonel Giuseppe Belmonte, donne un goût amer à ce dossier que l'on a tenté de mettre sur le compte du FPLP (Front populaire de libération de la Palestine). D'autres sources, également fiables, font état de la participation de membres des services secrets français à cette opération.

Comme quoi il faut tenir compte des nuances de gris. Nous avons d'ailleurs connu des opérations semblables ici même…

ON CONNAÎT LES CIBLES

Bref, à cette époque, les services de police et de renseignements européens (principalement) doivent lutter contre quelques organisations dont ils connaissent la plupart des membres, exception faite de l'ETA (Euskadi Ta Akatazune) basque. Dans ce dernier cas, si on connaît les dirigeants – comme c'est le cas pour l'IRA –, on ne connaît pas forcément les soldats de l'organisation. Cependant, tout le monde sait une chose : on connaît leurs buts et, potentiellement, leurs cibles.

Ces gens utilisent le terrorisme pour atteindre un but précis. Dans certains cas, comme l'IRA ou l'ETA, il s'agit de l'indépendance d'un pays. De même pour le FPLP. Les méthodes pour y arriver peuvent différer d'une organisation à une autre, tout comme ceux qui soutiennent ces groupes financièrement, il n'en demeure pas moins qu'il s'agit d'une guerre terroriste « classique », si tant est que le vocable puisse s'appliquer à ce genre de lutte.

À l'époque, les policiers et les agents du contre-espionnage avaient à lutter contre une cinquantaine de terroristes actifs (allons jusqu'à 100 en ne tenant pas compte de l'ETA et de l'IRA). Il aura fallu plus de dix ans aux forces de l'ordre pour en venir à bout (en oubliant toujours l'ETA et l'IRA).

Après les attentats récents de Paris, qu'il s'agisse tant de *Charlie Hebdo* que du Bataclan, des anciens des services de renseignements français affirmaient qu'on pouvait sérieusement penser à… 4 000 djihadistes potentiels, en France seulement ! Au lendemain des attentats de Paris — il ne faut quand même pas oublier les échecs du Stade de France —, on a également pu constater l'effervescence née dans les rangs de la police belge quand les autorités gouvernementales ont été obligées d'admettre que leur territoire avait sûrement servi de base à des opérations menées en France, opérations qu'on craignait d'avoir à subir aussi en Belgique.

La brutalité des agressions commises à Paris, le 13 novembre 2015, a semé un émoi plus persistant que l'incrédulité suscitée par l'effondrement des tours jumelles de New York, en 2001. C'est que l'attentat du Bataclan, qui était le centième en 2015, a démontré une chose : les symboles ne sont plus visés, contrairement à ce qu'on avait cru lors du raid contre *Charlie Hebdo* à la suite duquel tout le monde avait dénoncé l'atteinte à la liberté d'expression.

Dans le cas des tours américaines, on avait vu dans cette attaque une dénonciation de l'hégémonie et de l'impérialisme des États-Unis.

Dorénavant, c'est le mode de vie occidental, dans sa globalité, qui est visé.

On attaque les INFIDÈLES ! Partout où ils sont, partout où ils vont. Après le Bataclan, la revendication de la responsabilité de l'attentat est venue rapidement. Daesh [5] en réclamait la paternité et, du même souffle, faisait savoir que le répit était terminé. À compter de ce jour, tout ce qui bouge devenait une cible. Le marché public, le restaurant voisin, l'autobus qu'on prend au coin de la rue, le métro, l'épicier local, l'école primaire ou secondaire, les collèges, le garage où l'on fait l'entretien de sa voiture, plus rien ni personne ne sont à l'abri.

C'est vrai en Europe comme ici.

Les victimes du Bataclan étaient des jeunes qui s'amusaient, qui avaient pour seul but, ce soir-là, de passer une

---

5 https://www.youtube.com/watch?v=68 hbx0HAXwE

soirée à écouter un spectacle de rock et peut-être finir la nuit dans une autre boîte ou dans une brasserie ou un restaurant.

On sait ce qui est arrivé. Et on a aussi assisté à la réplique sans équivoque de la police française dans les heures qui ont suivi, tout comme on a pu voir les forces belges se déployer pour contrer un raid appréhendé qui, heureusement, n'a pas eu lieu.

On a également pu constater que les auteurs étaient du même groupe d'âge que leurs victimes.

PAS FRÉQUENTABLES

Le problème, ce sont les enjeux des grandes capitales, que ces joutes soient d'ordre économique, politique, religieux ou social.

Les cartes ont été mal jouées. Dans certains cas, elles n'ont pas été jouées du tout! La diplomatie occidentale a regardé, plus agacée qu'intéressée, le Printemps arabe et, plutôt que d'intervenir, a laissé le champ libre aux Frères musulmans, du moins en Afrique du Nord.

On a déstabilisé complètement la Lybie, l'Irak et la Syrie. Certes, il n'y avait pas beaucoup de personnages recommandables dans ces régions. Saddam Hussein, Mouammar Khadafi ou Bachar el-Assad n'étaient probablement pas les invités les plus recherchés des salons parisiens, londoniens, bostonnais ou moscovites.

Et tout le monde savait le rôle que chacun de ces personnages avait joué selon les époques. Ainsi, Khadafi avait (supposément, puisque, le 20 décembre 2013, on fera finalement porter le chapeau au FPLP-CG[6]) financé un attentat contre un avion de la Pan Am qui a explosé le 21 décembre 1988 au-dessus du village écossais de Lockerbie. Quant à Saddam Hussein, on savait qu'il pratiquait à outrance le

6 Front populaire de libération de la Palestine-Commandement général.

népotisme, qu'il avait des ambitions démesurées et tenait la région d'une main de fer. En ce qui concerne Bachar el-Assad, on était parfaitement au courant qu'il n'avait rien à envier aux autres, et qu'il tenait lui aussi son coin de pays avec une poigne qui faisait frémir tous les bien-pensants de l'Occident.

Déstabilisée par Georges Bush et sa clique, la région révélera l'existence de Daesh, le prochain califat des Abbassides (un État qui doit s'étendre de l'Afrique du Nord à l'Asie centrale) dirigé par Abou Bakr al-Baghdadi, successeur autoproclamé de Mahomet. Dans la foulée, le nouveau calife s'alliera avec Boko Haram, Ansar Bait al-Maqdis et le Majlis Choura Chabab al-Islam...

Des heures de plaisir en perspective...

DJIHAD MINEUR, DJIHAD MAJEUR, TENDANCES, ETC.

La religion musulmane est aussi hétéroclite que la religion chrétienne.

Chez nous, seuls les théologiens s'y retrouvent dans toutes les branches et tendances découlant du message de Jésus.

Évidemment, tout le monde dit savoir distinguer les catholiques et les protestants.

Mais quand vient le temps de discuter des Luthériens, des Pentecôtistes, des Mormons, des Adventistes, sans parler des Témoins de Jéhovah, on s'y perd un peu, en se disant cependant, pour toute explication, qu'ils sont probablement plus catholiques que le pape...

Pour l'Islam, c'est pareil.

Les factions sont nombreuses, tout autant que les enseignements et les interprétations qui leur sont propres. D'où la généralisation à peine timide que l'on perçoit en Occident. Si les médias et les éditeurs de livres mettent des gants blancs pour ne pas engouffrer tous les musulmans dans le même panier, ils ne sont pas sans savoir que l'opinion publique a depuis longtemps tranché la question.

PAS DE DISTINCTION

On l'a notamment constaté dans le cas des Algériens et, plus récemment, dans le cas des Syriens.

En plus de ne pas comprendre les enjeux qui enflamment ces régions, la moyenne des gens ne fait aucune distinction entre musulmans. Pourtant, ceux qui ont quitté leurs terres pour se réfugier à l'étranger étaient et sont toujours des victimes d'extrémistes en lutte pour l'établissement d'un pouvoir religieux sévère et intransigeant, tant dans son enseignement que dans l'application de ses principes directeurs.

Il ne faut pas perdre de vue que le conflit en Algérie a fait 150 000 morts. En Syrie, le décompte n'a pas été fait, pas plus qu'en Irak, mais tout le monde a pu voir les drames qu'ont à vivre les populations de ces régions.

Certes, les victimes sont aussi musulmanes (en majeure partie), mais il y a peu de chances qu'elles se rallient aux dirigeants qui les ont forcées à quitter leur pays après avoir détruit leurs maisons et, souvent, leurs familles.

Ce qui signifie également que la peur populaire de voir des extrémistes se glisser parmi les rangs des réfugiés est illusoire. Pourquoi se soumettre à autant d'embûches, à autant d'enquêtes et d'interrogatoires sur un parcours s'étendant sur des semaines, voire des mois, alors qu'il suffit de prendre l'avion et de rejoindre la capitale de son choix sans trop de problèmes ?

À cela, ajoutons qu'il n'est pas besoin pour des terroristes potentiels de faire l'un ou l'autre de ces cheminements. Les « fous de Dieu » sont déjà en place et ils peuvent aller et venir à leur guise (ou presque) puisqu'ils sont chez eux.

Le phénomène qu'on appelle « radicalisation » a fait couler beaucoup d'encre et, malgré tout, certains soutiennent qu'il y a un aveuglement presque volontaire dans les démarches de nos dirigeants. C'est du moins la thèse que soutient, notamment, Hassan Jamali[7] qui pose carrément la question à savoir

7 Écrivain et conférencier, auteur de *Coran et déviation politique : l'art de détourner une religion.*

si « nous sommes sérieux » quand on parle de la radicalisation des jeunes. Dans le *Huffington Post* du 14 décembre 2015, il écrivait : « *Ignorer l'islam politique (l'islamisme) en parlant de radicalisation chez les jeunes musulmans au Québec, c'est se tromper de cible. Et si les "représentants" de la "communauté musulmane" ont une bonne raison de le faire, quelle est la raison derrière le mutisme de nos politiciens à l'égard de ce fait idéologique qu'est l'islamisme ?* »

C'est que, soutient le journaliste, on ne peut développer d'organisation semblable à Daesh (l'État islamique) sans appuyer ses prétentions sur une propagande bien orchestrée. À cet égard, Internet est un instrument providentiel pour ces gens, dit-il en substance, tout comme les chaînes de télévision islamistes transmises par satellite ou encore les publications qui sont en grande majorité financées par l'Arabie Saoudite ou le Qatar.

« *Il faut reconnaître, et avec force, qu'en Occident et dans les pays arabes comme la Tunisie, l'islamisme radical ne cache pas ses objectifs : abattre la liberté, le pluralisme et la laïcité, puisque les slogans propagés par les islamistes sont : "La démocratie est l'œuvre des mécréants"* et *"Le laïc est l'ennemi de Dieu".*

« *Donc, lutter contre la radicalisation des jeunes sans lutter contre l'idéologie qui les attire et sans être conscient des instruments qu'elle emploie est une lutte stérile et inutile.*

« *De plus, en mentionnant la source du problème, on dissocie l'islam (une religion comme une autre lorsque pratiquée en privé ou dans les lieux de culte) de l'islam politique. On ne stigmatise plus le simple croyant et on lève la tutelle exercée sur lui par des groupes et des individus qui prétendent le représenter.* »

LE DJIHAD

Ce qui force à parler du djihad, ce vocable que certains ont déjà traduit par « guerre sainte », une interprétation qui est en train de s'ancrer profondément dans la croyance populaire.

Pourtant, ce n'est pas tout le monde qui partage cet avis...

Comme les chrétiens, les musulmans ont leurs théologiens, malgré le semblant anarchique de la religion et son absence apparente de structures formelles. Après tout dans certains courants de l'islam, les imams peuvent s'autoproclamer comme tels. Un peu comme si n'importe qui, ici, décidait de devenir le curé de la paroisse. C'est d'ailleurs ce qui fait la difficulté de suivre le discours des musulmans et, surtout, des islamistes.

Car il y a une distinction à faire entre les deux groupes. Nous y arrivons.

Donc, malgré une absence apparente de structures, il y a quand même une doctrine religieuse qui est débattue par des savants et des croyants réputés. Ces gens, pour la plupart, ont très peu de choses à voir avec l'islam politisé que nous subissons.

Ces gens, donc, réfléchissent à ce qu'a été la parole de Mahomet. Et ils ne sont pas les seuls à le faire. Des Occidentaux, en France, en Italie, en Allemagne, se sont aussi penchés sur les paroles de Mahomet. Même chose aux États-Unis ou même ici, au Canada.

Et tous sont loin d'être d'accord sur le sens à donner au mot « djihad ». Même si la plupart d'entre eux ont la rhétorique complexe et le langage alambiqué des universitaires, nous allons tenter de décoder leurs messages afin que le commun des mortels puisse s'y retrouver. C'est nécessaire ! Et vous constaterez au fil de votre lecture que les journalistes ont souvent l'avantage d'être clairs dans leurs propos et qu'ils appellent un chat un chat, ce qui n'est pas le propre de plusieurs intellectuels, peu importe leur origine.

Voici donc la première définition du terme « djihad ». Il s'agit d'explications fournies par Marie-Thérèse Urvoy, dans le *Dictionnaire du Coran* publié chez Robert Laffont en 2007.

« Les fondateurs des écoles juridiques ont eu des opinions différentes concernant les relations entre les deux domaines. C'est ***al-Shâfi'î*** *(767-820), un des principaux imams, fondateur d'une des quatre écoles de pensée de l'islam qui, le premier, a exposé la doctrine selon laquelle le djihad doit être une guerre permanente contre les non-croyants et non pas seulement lorsque ceux-ci entrent en conflit avec l'islam. Il se fonde sur ce verset :* ***"Après que les mois sacrés expirent, tuez les associateurs où que vous les trouviez. Capturez-les, assiégez-les et guettez-les dans toute embuscade. Si ensuite ils se repentent, accomplissent la Salat (prière islamique) et acquittent la Zakat (aumône légale), alors laissez-leur la voie libre, car Allah est Pardonneur et Miséricordieux."*** *(9,5). Lorsque la situation du monde musulman s'est modifiée à partir du IX*^e^*/X*^e^ *siècle, des oulémas (docteurs de la loi musulmane) ont affirmé que la chari'a (la loi musulmane) n'obligeait pas à s'acquitter du devoir du djihad, sauf si le domaine de l'islam était menacé par des forces étrangères. Le Hanbalite (un autre imam) intransigeant Ibn Taymiyya lui-même a proclamé que les musulmans ne doivent pas imposer l'islam par la force aux non-musulmans, si ceux-ci n'empiètent pas sur le dâr al-islâm (domaine de la soumission à Dieu). Il faut noter enfin que pour nombre de tendances chiites (ceux qui relèvent d'une des trois branches de l'Islam), le djihad offensif est interdit jusqu'à l'avènement du Mahdi (le roi élu par Dieu).*

« Ainsi le sulh (traité, en français) n'a pas été appliqué envers le domaine de la guerre à des fins territoriales mais

dans l'intérêt de la communauté. La conciliation ou trêve, tout comme les traités et accords, vise à tenir des périodes de paix avec chacune de ces catégories afin de faciliter les relations commerciales et culturelles[8]. »

Dans son traité, Mme Urvoy ajoute : « *Comme le jihâd demeure une obligation aussi longtemps que demeurera l'islam, ou l'unification du monde entier sous l'islam, la paix avec les infidèles ne saurait être, aujourd'hui encore, et tout au moins théoriquement, que des trêves temporaires. Renoncer ou non à cette obligation relève somme toute, de la volonté des musulmans.* »

En clair, selon cette spécialiste, il y a une menace implicite à l'encontre des infidèles.

TOUS VISÉS, MÊME LES MUSULMANS

Les Israéliens, eux, ne se posent même pas de questions. Pour eux, du moins pour Daniel Pipes qui publiait le premier janvier 2003 ses commentaires dans le *Jerusalem Post*, « *le Djihad est la guerre sainte. Plus précisément, cela signifie la tentative légale, obligatoire et commune d'étendre les territoires régis par les Musulmans au détriment des territoires régis par les non-Musulmans.* »

D'accord... Compte tenu de son auteur et du journal qui le publie, on peut penser que l'article est tendancieux. Cependant, Pipes a quand même le courage d'admettre que « *au cours des siècles, le concept du djihad a oscillé entre deux pôles plus ou moins radicaux. La première version considère que les Musulmans qui ont une interprétation différente de leur foi sont des infidèles et deviennent donc des cibles légitimes du djihad.*

---

8 NDLR – Passage tiré de Wikipédia, dans la définition du mot « djihad ». Toutes les parenthèses ont été ajoutées.

« Ceci explique pourquoi les Algériens, les Égyptiens et les Afghans ont souvent été victimes du djihad tout comme les Américains et les Israéliens. La deuxième conception, la plus mystique, réfute la définition militaire du djihad et demande aux Musulmans de se retirer du monde pour atteindre une profonde spiritualité. »

Selon l'auteur, cette vision des choses ne tient pas la route.

« Le but du djihad n'est donc pas la propagation de la foi islamique mais l'extension du règne souverain de l'islam (bien sûr, la foi suit souvent de près le drapeau). Le djihad est donc intrinsèquement offensif de par sa nature, son but ultime étant la domination des Musulmans sur la terre entière. »

Et Pipes ajoute : *« À l'heure actuelle, le djihad est la principale cause du terrorisme, inspirant une campagne de violence dans le monde entier par des organisations qui se réclament du djihad :*

- *Le front international du djihad contre les Juifs et les Croisés, le groupe d'Oussama ben Laden.*
- *Le Djihad Laskar : responsable du meurtre de plus de 10 000 chrétiens en Indonésie.*
- *Harakat el Djihad el Islami : une des principales causes de la violence au Cachemire.*
- *Le Djihad islamique palestinien : le groupe terroriste anti-israélien le plus vicieux.*
- *Le Djihad islamique égyptien : qui a tué le président Anouar el Sadate en 1981 et de nombreux autres depuis lors.*
- *Le Djihad islamique yéménite : qui a tué trois médecins américains lundi dernier. »*

Comme déjà mentionné, on peut penser que l'auteur a choisi sa cause. Et c'était en 2003. Depuis, de l'eau a coulé sous les ponts. Daesh n'en était qu'aux balbutiements. En fait, il n'était même pas encore dans la pensée d'Allah.

D'autres auteurs apportent néanmoins de l'eau au moulin de Pipes.

« Le djihad mineur peut être mené contre les infidèles (kûffar) ou contre des factions de musulmans considérées comme opposantes et révoltées.

« Au cours de l'histoire, ce djihad s'est exercé à l'encontre de sectes musulmanes tenues pour hérétiques. À l'époque contemporaine, cette raison a pu être utilisée dans :

* *les guerres entre l'Iran et l'Irak ;*
* *les conflits entre factions rivales musulmanes (en Afghanistan, au Pakistan, au Yémen, en Irak, en Syrie, au Liban, etc. ; aujourd'hui, entre sunnites et chiites) ;*
* *la guerre civile algérienne, contre les civils et militaires algériens opposés à l'établissement de la charia dans les années 1990; guerre ayant causé plus de 150 000 morts. »*

L'autre problème dans cette histoire, c'est que des théoriciens, voire des théologiens, abondent dans ce sens. Michael Bonner est partiellement de ceux-là[9]. Dans son étude, « Le Jihad: origines, interprétations, combats », Bonner indique que ce concept n'a jamais arrêté d'évoluer et que toute la question reste délicate à traiter, d'autant plus qu'il faut considérer le « petit djihad » et le « grand djihad », le petit, en résumé, étant la lutte contre les infidèles et le grand djihad, la lutte contre soi-même.

Chose certaine, c'est que les interprétations légales et théologiques de l'islam ne font que converger vers sa finalité

9 Antoine Borrut, Michael Bonner, « Le Jihad: origines, interprétations, combats », in *Archives de sciences sociales des religions*, n° 140, 2007.

qui est de devenir l'unique vision religieuse, légale et politique des choses. Sur la planète entière!

Pas étonnant, dès lors, que le nouveau califat reprenne le nom de califat des Abbassides et que le territoire visé par ce califat veuille s'étendre de l'Afrique du Nord à l'Asie centrale comme c'était le cas à l'époque de Mahomet.

D'autant plus que le discours du nouveau calife ne s'arrête pas beaucoup aux principes du « grand djihad »... Le djihad mineur semble nettement prédominer.

LES TENDANCES DE L'ISLAM

Comme la chrétienté, l'islam est une mosaïque. Bien malin celui qui pourrait expliquer à un Afghan ou à un Irakien comment s'y retrouver dans les méandres des diverses tendances de nos Églises et pourquoi il y en a autant alors que le message de base est le même, même si les interprétations changent selon la foi adoptée (ou imposée). Il ne faut quand même pas perdre de vue que nous avons eu nos luttes intestines qui, pour de multiples raisons, ont fini par différencier les us et coutumes de certains chrétiens comparativement aux autres.

Les chrétiens ont également commis des excès et, à première vue, on dirait bien que l'âge et l'évolution des religions y sont pour quelque chose.

COMPARAISONS

Prenons l'Inquisition, à titre d'exemple. Ce tribunal spécial (dont la responsabilité était de combattre l'hérésie) a été créé sur l'ordre du pape Grégoire IX, en 1231, pour empêcher le sectarisme. Puis, à compter de 1478, il y eut l'Inquisition espagnole, qui visait les protestants et les musulmans faussement convertis. Suivit l'Inquisition romaine à dater de 1542 et nombre de croyants seront étonnés d'apprendre que ce tribunal est toujours en vigueur sous une autre appellation, celle de la Congrégation pour la doctrine de la foi...

Donc, pour en revenir à l'âge des religions comme excuse de la perpétration de certains excès, il faut se rappeler que la première Inquisition se mit en place en 1231.

On estime par ailleurs que Mahomet est décédé à Médine en 632 de notre ère et que ses disciples ont ensuite compilé les versets qu'il présentait comme la parole de Dieu (*Allah*, en arabe) que lui aurait transmise l'archange Gabriel. Or, 632 de notre ère signifie donc que cette religion a à peine 1383 ans.

À croire que cette époque constitue l'adolescence des religions monothéistes...

Les discours et les raisons invoquées par les chrétiens qui ont mis en place la première Inquisition ressemblent également aux discours qu'on entend depuis quelques années de la part de certains religieux musulmans et qu'on entend encore plus depuis la montée fulgurante de l'État islamique ou, si l'on préfère, de Daesh.

Des exemples ?

On a créé la première Inquisition pour contrer les hérésies qui se formaient lors des pèlerinages.

Que dit Daesh ?

Que les écrivains et poètes palestiniens (notamment) sont des débauchés et des hérétiques[10].

Que dit encore la sainte Inquisition ?

Que l'hérésie est une rupture du lien social, du moins au bas Moyen-âge, qu'il s'agit d'un crime global contre Dieu, les princes, la société.

Du côté de Daesh, on chante une chanson similaire : que les femmes (palestiennes) ne valent pas mieux que les

10 Iran French Radio, 17 décembre 2014.

poètes et écrivains et que si elles ne se conforment pas à la charia en portant le hijab, elles devraient être lapidées[11].

Cela dit, Daesh s'adresse à des coreligionnaires.

On peut ajouter aussi certaines pratiques assez similaires entre ces deux croyances. Le musulman ne croit qu'en un seul Dieu. Le chrétien aussi.

Le musulman doit faire cinq prières par jour. Le chrétien en faisait autant : une prière au lever, une avant chaque repas et une au coucher.

Le musulman doit jeûner le jour, pendant le ramadan. Le chrétien observait le carême au cours duquel, pendant 40 jours, il devait manger « maigre »...

On pourrait continuer longtemps à établir de telles comparaisons entre les excès et extrémismes des deux croyances, mais cela ne suffirait pas à expliquer ce qui se passe aujourd'hui.

Cependant, au-delà de toutes ces considérations, il faut bien saisir que l'islam n'est pas un bloc monolithique. Et exactement comme les chrétiens ont des Églises catholique, protestante ou orthodoxe qui observent différents rites, ces communautés partagent toutes le même message.

À ce titre, les chrétiens et les musulmans partagent également certains écrits et personnages bibliques, faut-il le répéter.

Pour les musulmans, il en est de même : le message est identique pour tous, mais la foi est vécue différemment selon le rite auquel un individu appartient.

Dans l'ensemble, les musulmans ne sont pas plus belliqueux que les chrétiens. Après tout, ils sont près de deux milliards sur la planète et, d'une façon générale, tout le monde s'entend pour montrer du doigt les mêmes fauteurs de troubles.

---

11 Idem.

On parle évidemment de Daesh, d'Al-Qaïda, de Boko Haram et des autres organisations qui ont choisi le djihad mineur pour faire entendre leurs voix. Sur les presque deux milliards de musulmans de la planète, ceux qui ébranlent l'Occident sont minoritaires, même si leur nombre ne cesse de grandir et leur message de se répandre.

Tout le monde connaît maintenant les sunnites et les chiites. Voici d'où provient la scission entre les deux groupes, fragmentation qui tient plus aujourd'hui du politique que du différend religieux[12]. Or donc, dès la mort de Mahomet, deux courants s'installent.

« *Chiites-sunnites : une division historique.*
« *La scission de ces deux courants de l'islam remonte à la mort du prophète Mahomet, en 632. Se pose alors la question du successeur le plus légitime pour diriger la communauté des croyants :*

* ***les futurs chiites** désignent Ali, gendre et fils spirituel de Mahomet, au nom des liens du sang ;*
* ***les futurs sunnites** désignent Abou Bakr, un homme ordinaire, compagnon de toujours de Mahomet, au nom du retour aux traditions tribales.*

« *Une majorité de musulmans soutiennent Abou Bakr, qui devient le premier calife. Depuis, les sunnites ont toujours été majoritaires. Ils représentent aujourd'hui environ 85 % des musulmans du monde. Les seuls pays à majorité chiite sont l'Iran, l'Irak, l'Azerbaïdjan et Bahreïn, mais d'importantes minorités existent au Pakistan, en Inde, au Yémen, en Afghanistan, en Arabie Saoudite et au Liban*[13]. »

---

12 Christophe Ayad, *Le Monde*.

13 http://www.lemonde.fr/les-decodeurs/article/2014/06/20/au-fait-quelle-difference-entre-sunnites-et-chiites_4442319_4355770.html #

Et en quoi ces deux courants diffèrent-ils l'un de l'autre ?

Voici :

« Les sunnites considèrent le Coran comme une œuvre divine : l'imam est un pasteur nommé par d'autres hommes, faisant office de guide entre le croyant et Allah pour la prière ; dans certaines situations, il peut s'autoproclamer.

« Les chiites considèrent l'imam, descendant de la famille de Mahomet, comme un guide indispensable de la communauté, tirant directement son autorité de Dieu. C'est pourquoi leur clergé est très structuré.

« Conséquence pratique : alors que les sunnites acceptent que les autorités religieuse et politique soient fondues dans la même personne, les chiites prônent une séparation claire. Au Maroc, majoritairement sunnite, le roi est commandeur des croyants, tandis qu'en Iran, à tendance chiite, les ayatollahs sont indépendants du pouvoir exécutif[14]*. »*

Il existe ensuite des branches moins connues, mais tout aussi importantes. Issu du mouvement sunnite hanbalite, le wahhabisme est un mouvement religieux rigoriste à la vision puritaine soutenant qu'il faut ramener l'islam à sa forme originelle.

Autre courant, celui des sunnites « orthodoxes ». Il s'agit d'un mouvement extrémiste, même s'il constitue la religion officielle de l'Arabie Saoudite. Selon la doctrine de ce mouvement conservateur, toutes les autres tendances de l'islam sont hérétiques à tel point que les soufis (cœur ésotérique de l'islam) et les chiites sont considérés comme des impies[15].

Enfin, le salafisme. Même si la plupart des gens ne savent pas précisément en quoi il consiste, ce mouvement est

---

14 Idem.

15 https://fr.wikipedia.org/wiki/Wahhabisme

celui qui est le plus connu en Occident car les auteurs des principaux attentats perpétrés en Occident s'en réclament... Le problème, c'est que cette sous-branche est elle-même divisée en plusieurs courants. Le premier « prône l'éducation et la purification » par la pédagogie religieuse et est non violent. Le deuxième est celui des Frères musulmans qui luttent contre l'influence occidentale de façon supposément pacifique. Le troisième enfin, appelé salafisme djihadiste, est plus violent et prône l'action armée pour imposer l'islam purifié, tel qu'il était à l'origine[16].

Quant aux militants de ce groupe, voici ce qu'en dit l'encyclopédie Wikipédia : « *L'apparence extérieure des salafistes est décrite le plus souvent comme exhibitionniste, folklorique et schizophrène. Ils sont reconnaissables à leur barbe fournie, jamais taillée, surtout la moustache rasée, selon leur propre compréhension d'un hadith de Mahomet. Ils se distinguent également par leurs crânes rasés. Valorisant tout ce qui vient d'Arabie Saoudite et rejetant plutôt leur culture d'origine pour rejoindre ses standards, ils portent en principe des vêtements larges tels que le dishdasha, parfois la ghutrah et l'agal, mais certains d'entre eux comme les frères musulmans sont habillés à l'occidentale. Ils affichent, sans complexe, les signes extérieurs de richesse (téléphones portables dernier cri, chaussures de sport de grande marque, etc.) revendiquant ainsi élection et bénédiction divines. Les hommes marquent volontiers leur piété avec des tâches d'encre bleue sur le front, selon leur réinterprétation d'un verset du Coran décrivant les gens du Paradis. Les femmes portent typiquement un voile intégral de couleur noire, voire même la burqa afghane. Par ailleurs, les djihadistes ne font pas, non plus, mystère de leur*

16 https://fr.wikipedia.org/wiki/Salafisme #Mouvements_salafistes_aujourd.27 hui_par_pays

militarisme, brandissant des étendards noirs et adoptant des vêtements plus appropriés dans les tons requis[17]. »

Ajoutons une note afin de préciser ce qu'ils sont réellement : ces gens refusent toute influence occidentale, dont la laïcité et la démocratie qui ne sont à leurs yeux que des éléments de corruption de l'islam. De plus, ils prennent toute écriture émanant du Coran au pied de la lettre. Enfin, ils se critiquent allègrement entre eux… Ainsi, face aux salafistes djihadistes, aucun autre musulman n'est à l'abri, de même que les infidèles et, pire encore, les infidèles occidentaux.

COMMUNICATIONS

Ce qui est étrange avec ces gens (parce que ce sont ceux qui nous causent problème), c'est que malgré leur discours hyper-conservateur et leurs dénonciations de tout ce qui vient de l'Occident, ils maîtrisent des technologies pourtant développées par les « infidèles ». Ainsi, leurs techniques d'endoctrinement ou, soyons polis, leurs méthodes de prédication, si elles sont basées sur les discours des imams dans les mosquées, sont aussi l'objet de diffusion par des moyens de communication très modernes. Il suffit de songer à l'utilisation de la vidéo, aux recours à la télévision ou à Internet.

À ce sujet, le sociologue Samir Amghar fait remarquer ceci : « *Internet est devenu la principale source d'information religieuse mais aussi le principal pourvoyeur de radicalité. Ce n'est plus tant dans les mosquées (radicales), lieux traditionnels du débat mais aussi du recrutement des djihadistes avant le 11 septembre 2001, et où les imams (salafistes) se savent aujourd'hui très surveillés par les services de renseignements […]*[18]. »

---

17 Idem.

18 Samir Amghar : « Le Net est le principal pourvoyeur de radicalité » (leparisien.fr).

Un collaborateur de l'encyclopédie Wikipédia ajoute un passage d'un article du *Nouvel Observateur* à ce sujet: « *En effet, même les salafistes djihadistes reprennent avec succès les codes du web et les principes de la communication 2.0 (stratégie de communication consistant à créer une relation durable avec le consommateur) pour embrigader la jeunesse et l'inciter à rompre totalement avec le reste de la société dite mécréante*[19]. »

19 « SLF Magazine », le site salafiste qui fait du lol avec le djihad ». https://plus.google.com/+LeNouvelObservateur

ABOU BAKR al-BAGHDADI, L'ÉTRANGE CALIFE IBRAHIM

On sait peu de choses sur cet homme devenu le grand maître de la terreur du XXIe siècle.

Les informations que l'on possède à son sujet sur sa jeunesse et ses études sont difficiles à vérifier, mais on sait qu'il se nommerait véritablement Awad Ibrahim Ali al-Badri et qu'il est né à Falloujah, en Irak, en 1971. Selon d'autres sources, il s'appellerait Ibrahim al-Badri al-Samarraï. Ou encore Ibrahim Awaad al-Bakri[20].

On sait également qu'il appartient au clan des Badrites et (information à prendre avec précaution) qu'il serait un descendant direct de l'imam Ali ibn Abi Talib, le protégé, le cousin, le disciple et le gendre de Mahomet puisqu'il avait épousé sa fille, Fatima.

Autrement dit, celui qu'on désigne actuellement sous le nom de calife Ibrahim serait issu d'une lignée d'importance majeure dans l'islam puisque son ancêtre Ali faisait partie de la famille du Prophète.

On sait aussi qu'il utilise Al-Qurashi dans son nom, une référence à la confédération tribale dont provenait le Prophète.

---

20 http://www.tunisie-secret.com/Exclusif-ce-que-les-medias-n-ont-pas-dit-sur-Abou-Bakr-al-Baghdadi-un-mercenaire-du-Qatar-et-des-Etats-Unis-video_a956.html

TIMIDE ET MAUVAIS ÉLÈVE

Des journaux allemands, *ARD* et *Süddeutsche Zeitung*, ont enquêté sur son passé et révélé qu'il était un mauvais élève et qu'il aurait été recalé en raison de ses faibles notes en anglais.

On prétend aussi qu'il a été refusé dans l'armée irakienne à cause de sa myopie et qu'il aurait tenté de faire, sans succès, des études de droit avant de se tourner vers la théologie. D'autres sources parlent, quant à elles, d'études de droit théologique. Chose certaine, il a suivi des études islamiques puisqu'il possède un doctorat en sciences islamiques de l'Université d'Adhamiyah, située tout près de Bagdad.

Décrit comme timide et peu bavard, il se consacre aux enseignements religieux avant de se marier et d'avoir un fils.

Quand l'invasion anglo-américaine survient, en 2003, le futur calife rejoint les insurgés et forme sa propre faction, l'Armée du peuple de la communauté sunnite (Jaysh Ahl al-Sunnah oua al-Jama'a) et adopte son premier nom de guerre : Abou Du'a[21].

Sa carrière militaire sera de courte durée puisque le 31 janvier 2004, il se fait arrêter par les Américains qui ne lui en veulent pas particulièrement, mais qui l'interceptent parce qu'il se trouve en compagnie de Nessayif Numan Nessayif, la véritable cible du déploiement militaire américain.

À la suite de cette arrestation, il passera dix mois derrière les barreaux, sans faire de vagues. Selon d'autres sources, il aurait été détenu pendant trois ou six ans, mais de telles périodes ne cadrent pas avec le développement de la carrière du calife.

MÉDIATEUR

Discret comme toujours, jouant de ses connaissances religieuses, les autorités des camps Bucca et Adder le laisseront

21 Paul Khalifeh, RFI, 8 août 2014.

jouer le rôle de médiateur dans plusieurs différends entre prisonniers. En plus, il n'a pas le statut d'un détenu émanant d'un groupe armé. Pour les autorités militaires, c'est un prisonnier civil peu dangereux. En réalité, Abou Bakr al-Baghdadi fait du recrutement et installe son avenir politique.

À sa libération, le 6 décembre 2004, il rejoint Al-Qaïda, alors sous la direction du Jordanien Abou Moussab al-Zarqaoui, et se rend dans la province d'Al-Anbar où il préside des tribunaux islamiques dont le but est d'intimider les populations locales[22].

Son ascension au sein de la nébuleuse terroriste se confirme et les autorités militaires américaines savent qu'il est le responsable des entrées en Irak de militants syriens et saoudiens. On tente alors de se débarrasser d'Abou Du'a (puisqu'il est connu sous ce nom) lors d'un raid aérien en octobre 2005.

Mais il s'en tire bien... tellement qu'il se joint au Conseil consultatif des moudjahidines en Irak pour assister, en octobre 2006, à la proclamation de l'État islamique d'Irak.

TOTALEMENT INTRANSIGEANT

Cet homme discret poursuit implacablement son chemin et rejoint le Conseil consultatif des moudjahidines en Irak.

Selon les informations qui parviennent en Occident, Abou Bakr al-Baghdadi est d'une intransigeance totale, même envers les autres insurgés sunnites. Cependant, il est difficile d'élaborer davantage à ce sujet, du moins pour cette époque.

Ce que l'on sait, cependant, c'est qu'en mai 2010, le conseil consultatif de l'État Islamique annonce sa nomination en remplacement de l'émir Abou Omar al-Baghdadi, tué un mois plus tôt lors d'un raid conjoint des forces irakiennes et américaines.

---

22 Bill Roggio, *The long war Journal*, 2005.

Dans le communiqué du conseil, on indique aussi que Abou Abdullah al-Husseini al-Qurashi devient son premier ministre et le communiqué indique également que Nasser al Dinh Allah Abou Souleimane devient le nouveau ministre de la guerre, le précédent ayant été tué lors du raid qui a aussi coûté la vie à l'émir, son patron[23].

INTENSIFICATION DES COMBATS

L'arrivée d'Abou Bakr al-Baghdadi à la tête du mouvement est marquée par l'intensification des combats. Les attaques contre les postes de police et les forces militaires se multiplient et, quelques mois plus tard, le nouvel émir annonce son allégeance au successeur d'Oussama Ben Laden qui vient de disparaître. Il jure de venger le chef.

Cependant, un jeu de pouvoir s'installe entre al-Baghdadi et les dirigeants d'Al-Qaïda pour des questions d'alliance. Abou Bakr al-Baghdadi annonce qu'il vient de rebaptiser son groupe « État islamique d'Irak et du Levant » et veut fusionner avec le Front al-Nosra dirigé par Abou Mohammed al-Joulani.

Les dirigeants d'Al-Qaïda ne sont pas favorables à ce projet de fusion, pas plus d'ailleurs que al-Joulani.

C'est le début de la véritable manifestation de la force d'al-Baghdadi…

Ses hommes finissent par prendre Falloujah et certains quartiers de Ramadi en janvier 2014.

Ses troupes s'en prennent également aux « opposants », qu'il s'agisse de l'armée libre de Syrie ou des hommes du Front al-Nosra, ce que dénonce alors l'organisation Al-Qaïda.

Abou Bakr al-Baghdadi n'en tient pas compte et fonde l'État Islamique. Il établit le « califat » lors d'une allocation

23 Centre américain de surveillance des sites djihadistes (SITE).

à la mosquée de Mossoul le 29 juin 2014 dans laquelle il ordonne à tous les musulmans de lui obéir.

PERSONNAGE SÉRIEUX

Et certains commencent à le regarder plus sérieusement.

Renaud Girard, analyste au *Figaro*, commentera quelques jours plus tard: « *Comment le calife a-t-il montré qu'il était décidé, et pas seulement en paroles? Il s'est montré féroce avec ses adversaires, qui sont aussi les ennemis de Dieu. Comme ces légats de la Rome impériale qui n'hésitaient pas à menacer de décimation toute ville assiégée récalcitrante, al-Baghdadi a su inspirer un tel effroi à ses ennemis, que ces derniers (les soldats chiites de l'armée irakienne officielle) ont fui pratiquement sans combattre. La force du nouveau calife tient aussi à ce qu'on le sent sincère. Ce soldat qui a montré du courage au combat apparaît comme très éloigné des combines d'argent et de pouvoir prévalant dans le Bagdad du premier ministre chiite Nouri al-Maliki. Aucune prudence politique n'arrêtera le calife Ibrahim dans son service du Divin, même si il a montré dans sa carrière un grand sens de la ruse tactique.* »

L'observateur ajoute: « *Il sait qu'il est invincible, parce qu'il a compris qu'aucune puissance n'était prête à faire l'effort de le vaincre...*[24] » Ça c'était bien avant l'arrivée des Russes...

Mais il y avait déjà longtemps que le nouveau calife avait retenu l'attention des Américains.

Conformément à leurs traditions, les États-Unis l'avaient inscrit sur leur liste des criminels les plus recherchés, ce qui le plaçait quand même loin derrière Oussama Ben Laden.

---

24 Figarovox, 8 juillet 2014.

Pour ce dernier, le gouvernement de Washington promettait de verser une récompense de 25 millions. Abou Du'a (al-Baghdadi) ne vaut que 10 millions, même des années plus tard, et ce, bien qu'il soit incontestablement le terroriste le plus efficace et le plus effrayant jamais connu jusqu'ici.

Voici l'avis de recherche des Américains le concernant. L'offre se retrouve sur le site « rewardsforjustice.net »

Wanted (Recherché)

Information that brings to justice... (Pour obtenir justice...)

Abu Du'a

Up to $10 Million Reward

(Récompense de 10 millions de dollars)

Abu Du'a, also known as Abu Bakr al-Baghdadi, is the senior leader of the terrorist organization, the Islamic State of Iraq and the Levant (ISIL). Reflecting its greater regional ambitions, al-Qaida in Iraq changed its name in 2013 to ISIL and stepped up its attacks across Syria and Iraq. ISIL attacks are calculated, coordinated, and part of a strategic campaign. Abu Du'a is in charge of overseeing all operations and is currently based in Syria.

Abou Du'a, aussi connu sous le nom de Abou Bakr al-Baghdadi, est le dirigeant principal d'une organisation terroriste, l'État islamique d'Irak et du Levant (EIIL). Montrant ses ambitions régionales démesurées, la section irakienne d'Al-Qaïda a changé son nom en 2013 pour prendre celui de EIIL et entreprendre ses attaques en Syrie et en Irak. Ces

agressions font partie d'une campagne planifiée et Abou Du'a, installé en Syrie, est le grand responsable de la coordination de ces opérations.

Abu Du'a has taken personal credit for a series of terrorist attacks in Iraq since 2011 and claimed credit for the June 2013 operations against the Abu Ghraib prison outside Baghdad, the March 2013 suicide bombing assault on the Ministry of Justice, among other attacks against Iraqi Security Forces and Iraqi citizens going about their daily lives.

Abou Du'a a revendiqué la paternité d'une série d'attaques terroristes en Irak depuis 2011, de même que pour les opérations menées contre la prison Abou Ghraib en banlieue de Bagdad, en mars 2013, et l'attentat suicide visant le ministre de la Justice. Il est également responsable d'autres agressions contre les forces de l'ordre irakiennes et a mis en péril la vie de nombreux citoyens de ce pays.

Abu Du'a is a Specially Designated Global Terrorist under Executive Order 13224. He is also listed at the United Nations Security Council 1267/1989 al-Qaida Sanctions Committee.

Du'a est un terroriste spécifiquement désigné et sous le coup de l'Ordonnance 13224. Il apparaît également aux articles 1267/1989 de la liste du Comité des sanctions contre Al-Qaïda de l'Organisation des Nations Unies[25].

Il convient cependant de préciser qu'au moment d'écrire ces lignes, c'est quand même lui qui remporte la palme du montant des récompenses.

Rappelons, pour la petite histoire, que Ben Laden valait 25 millions de dollars et que la somme aurait été versée par Washington à un agent des renseignements pakistanais. Le problème, dans le dossier Ben Laden, c'est que toutes les

25 Traduction libre de l'auteur.

informations sont à prendre avec de grandes précautions. Certes, une opération militaire a eu lieu à Abbottabad, au Pakistan.

Quelqu'un a été tué ?

Ben Laden, fort probablement.

Qui a fourni les informations ? Difficile à savoir avec certitude.

Comment Ben Laden a-t-il été tué ? Encore plus difficile à savoir.

Par qui ? C'est la pagaille.

Comment s'est-on débarrassé de son corps ? Tous les *scénarii* sont bons.

Qui a menti dans cette histoire ? Il faudrait plutôt demander qui n'a pas menti et il n'est pas évident que les menteurs soient les soldats de l'équipe 6 des Navy Seals, même s'ils ne s'entendent pas entre eux et ne chantent pas la même chanson.

Le site de « Mother Jones » recense six versions différentes de la mort de Ben Laden... Alors...

Bref, même si Washington semble considérer que Abou Du'a vaut moins cher que Ben Laden, le problème demeure entier et proportionnel à l'engagement des États-Unis sur le terrain.

CLAIR-OBSCUR

Dans la foulée de la vengeance engendrée par l'attentat des tours jumelles (encore faudrait-il que tout cela soit éclairci[26]), Georges Bush et son administration ont fondu sur Saddam Hussein, allant jusqu'à dire qu'il était un membre de « l'axe du mal ». Or, à ce jour, rien ne permet de croire que Hussein ait joué quelque rôle que ce soit dans l'effondrement des deux

26 La BBC (Bristish Broadcasting Corporation) a retracé, vivants, au moins neuf des « terroristes » qui sont censés avoir perpétré les attentats de New York. D'autres éléments sont encore obscurs dans ce dossier.

tours. Ou plutôt des trois tours, puisqu'il y en a une qui s'est effondrée en fin de journée, probablement par solidarité avec les deux autres. Ce qui est extraordinaire, dans ce dossier, c'est le nombre de victimes plutôt modeste. On parle de 2 974 morts.

En comparaison, la Place-Ville-Marie, à Montréal, a un achalandage de 1 600 00[27] personnes par mois. Donc, sur une base de 30 jours, 50 000 personnes s'y retrouvent quotidiennement. On peut donc penser qu'il faut au moins 3 000 personnes qui travaillent sur place pour satisfaire les besoins de cette ville mouvante. Et ces personnes se mettent au travail entre sept et dix heures du matin. Et il ne s'agit que de la Place-Ville-Marie, à Montréal, dont la totalité de la superficie locative brute est 1 759 852 pieds carrés. En comparaison, les tours jumelles du World Trade Center avaient un espace locatif de 10 009 590 pieds carrés ... Un espace donc au moins cinq fois plus grand. De plus, 50 000 personnes travaillaient dans ces tours et 200 000 les visitaient chaque jour[28].

Le bilan de l'attentat, somme toute, bien que dramatique, n'est pas proportionnel au gigantisme de l'endroit. Il faudra un jour obtenir des explications plus claires que celles fournies par le comité d'enquête mis en place par l'administration Bush. Pas étonnant que nombre de personnes aux États-Unis réclament une nouvelle enquête. Et ce ne sont pas tous des adeptes de la théorie du complot !

Après cette affaire, tout le monde sait très bien que les États-Unis d'Amérique ont déployé tous les efforts économiques nécessaires pour faire la guerre en Irak, le but premier étant d'abord de se débarrasser de Saddam Hussein (avec, pour raison officielle, rappelons-nous, la prétendue possession

---

27 http://placevillemarie.com/fr/bureaux/galerie

28 Ruchelman, Leonard I., *The World Trade Center: Politics and Policies of Skyscraper Development*, Syracuse University Press, 1977, p. 11.

des armes de destruction massive dénoncée par le malheureux général Colin Powell le 6 février 2003) et ensuite de pourchasser les suppôts d'Al-Qaïda jusque dans les tranchées des villages les plus reculés.

Il y avait alors d'énormes sommes d'argent engagées dans cet affrontement.

Quand survient Daesh, il y a moins d'argent en jeu. Enfin… Il y en a moins qui est directement engagé. Les Anglais et les Américains se sont retirés… On peut donc penser que le chef de l'État islamique vaut moins cher, malgré les problèmes qu'il cause.

C'est une logique qui peut sembler simpliste, mais elle en vaut bien d'autres, plus tordues, soutenues pourtant par des gens brillants et qui ont parfois une influence certaine.

FORMÉ PAR LE MOSSAD ?

La rumeur a couru (et continue de faire son chemin) voulant que Abou Bakr al-Baghdadi (le calife) ait été formé par le Mossad (les services secrets israéliens) et les forces américaines et britanniques. La première fuite serait survenue grâce à l'ancien agent de la NSA (National Security Agency), Edward Snowden, lequel aurait révélé l'existence de documents indiquant que l'État islamique aurait été fabriqué de toutes pièces par les gouvernements américain et britannique et le Mossad.

NID DE GUÊPES

Toujours selon cette thèse, « *il s'agissait de créer une organisation capable d'attirer à un seul endroit tous les terroristes de la planète. L'opération portait le nom de code "nid de guêpes"* [29] ». La nouvelle a été reprise en juillet 2014, avec des mises en garde des éditeurs quant à la véracité des faits. Dans

29 Gulf Daily News, Global Research, 16 juin 2014.

le texte émanant du *Gulf Daily News*, on ajoutait qu'Abou Bakr al-Baghdadi avait été soumis à un entraînement militaire intensif de la part du Mossad pendant un an, alors qu'il continuait à prendre des cours oratoires et de théologie.

Dans la foulée, on a également prétendu qu'il avait été détenu à Guantanamo de 2004 à 2009 avant d'ajouter qu'il était juif et que son véritable nom est Simon Elliott ou Elliot Shimon...

Le problème, c'est l'origine de ces « informations » qui semblent provenir d'Iran, lequel n'est pas un allié de l'État Islamique.

Conspiracywatch.info a analysé la question.

« *Le premier texte en français affirmant qu'Abou Bakr al-Baghdadi a été "formé" par le Mossad est paru le 9 juillet 2014 sur Al-Imane.org, un site musulman qui fait l'apologie du Hezbollah libanais (pro-iranien) et du Hamas palestinien. Lui-même se baserait sur des dépêches émanant d'Al-Manar, le site du Hezbollah, et de l'agence de presse semi-officielle iranienne Fars News, dont la réputation est entachée de manquements répétés à la déontologie journalistique la plus élémentaire. Un article au contenu similaire à celui d'Al-Imane.org est publié le 11 juillet 2014 sur Algérie1.com puis, en version anglophone, le 15 juillet sur le site du journal bahreïni Gulf Daily News, qui abandonne toute mention à Al-Manar ou à Fars News. C'est sur ce dernier texte que s'appuient la plupart des sites conspirationnistes relayant l'intox. Car les fameux documents de la NSA censés contenir ces révélations fracassantes sont – est-il besoin de le préciser ? – introuvables. Quant aux propos douteux attribués à Edward Snowden, ils ne sont accompagnés d'aucune source et il est impossible d'en vérifier l'authenticité.* ***Glenn Greenwald****, le journaliste amé-*

ricain qui a publié les révélations de Snowden, a d'ailleurs personnellement démenti ces rumeurs sur Twitter[30]*.* »

Selon la même source, l'agence de presse iranienne Mashregh News, proche des Gardiens de la Révolution islamique iraniens, aurait quant à elle lancé l'idée qu'Abou Bakr al-Baghdadi était d'origine juive, en présentant notamment « *une capture d'écran présentant l'un des participants à une rencontre entre le sénateur américain John McCain et des responsables de l'Armée syrienne libre en 2013, comme étant Abou Bakr al-Baghdadi* ».

UN ISRAÉLIEN ?

L'affirmation voulant qu'Abou Bakr al-Baghdadi soit d'origine juive et qu'il travaille pour les renseignements américains et britanniques s'est évidemment répandue comme une traînée de poudre sur le Web, tous les sites anti-israéliens ou de droite et d'extrême-droite en faisant leurs choux gras. Mais la « nouvelle » ne s'est pas arrêtée là et elle a forcé la très sérieuse BBC à en faire état, tout comme le *New York Times* et l'*International Business Times*. Véhiculée par ces organes de presse, l'idée s'est mise à circuler de plus en plus au Liban, en Iran et en Irak. Dans le cas de l'Irak, la rumeur se serait répandue et demeurerait tenace dans les plus hautes sphères du pouvoir[31].

Et ce n'est pas tout : c'est que certaines publications de la presse traditionnelle sont tombées dans le panneau. C'est le cas, entre autres de *Il Manifesto*, en Italie. Même s'il est d'obédience communiste, ce journal est très sérieux. Et Geral-

---

30 http://www.conspiracywatch.info/Snowden-Al-Baghdadi-et-le-Mossad-la-derniere-intox-complotiste-a-la-mode-s-invite-dans-la-presse-alter_a1280.html

31 http://www.slate.fr/story/92417/cia-etat-islamique-rumeur-irak-iran-liban

dina Colotti, la directrice de l'édition italienne du *Monde diplomatique*, a repris le texte et l'a publié.

Ce n'est pas la première fois (et sûrement pas la dernière) que des journalistes professionnels se font abuser, mais, dans toute cette histoire, la personnalité et l'image d'Abou Bakr al-Baghdadi n'ont pas trop souffert. Personne, à l'exception de ses ennemis directs au Moyen-Orient ou en Iran, n'a pris pour vraies ni même dignes d'attention les affirmations émanant d'officines d'intoxication.

TRAÎTRE À SA MISSION ?

D'ailleurs était-il possible de penser qu'un tel radical puisse être traître à sa mission ? L'observateur du *Figaro* l'a également noté : « *Le nouveau calife Ibrahim a aussi l'atout politique d'être un homme décidé, qui ne s'embarrasse pas de nuances, ni d'atermoiements. En plus de l'application de la charia, pas de programme compliqué chez lui, mais un seul commandement : "Obéissez-moi tant que vous obéissez à Dieu en vous !"* »

Quant au discours du calife, pas besoin d'être musulman pour le comprendre : « *Je suis le Wali (parrain) désigné pour vous guider, et cette lourde responsabilité m'accable parce que je ne suis pas le meilleur d'entre vous. Si vous me voyez dans le droit chemin, aidez-moi ; si vous me voyez dévier, conseillez-moi et obéissez-moi. Si je n'obéis pas à Allah, vous ne me devez pas obéissance*[32]. »

Le message est clair…

---

32 Tunisie secret, 7 juillet 2014

LA GUERRE DE CONVICTION

L'État islamique, ou Daesh, occupe un territoire équivalent à la moitié de la France. Son influence ne cesse de s'étendre puisque les talibans, en Afghanistan, (tout comme le gouvernement) sont aussi aux prises avec ses militants.

L'arrivée des Russes dans le décor de Syrie risque de changer la donne puisqu'ils sont, eux, sur le terrain et non pas uniquement dans le ciel. Et il s'agit de soldats aguerris aptes à faire face aux partisans du calife Ibrahim (Abou Bakr al-Baghdadi, patron de l'EI ou Daesh, que nous appellerons dorénavant « le calife ») dont les hommes pour la plupart, ne l'oublions pas, ont subi un entraînement équivalent à celui d'une armée traditionnelle.

Après tout, en 2014, on estimait que l'État Islamique avait recruté entre 10 000 et 15 000 combattants, dont la moitié avait déjà passé plus de dix ans à se battre contre les Américains. « *L'autre moitié de l'escadron de l'État islamique est d'origine étrangère : des Occidentaux venus de France, du Royaume-Uni ou de Belgique (entre 2 000 et 3 000 Européens, dont un peu moins d'un millier de Français), des Tchétchènes, Libyens, Tunisiens, Saoudiens ou encore Syriens. La plupart d'entre eux ont d'ailleurs fait leurs armes en Syrie*[33]. »

Il ne faut pas non plus perdre de vue que les hommes du calife disposent d'un équipement militaire plutôt imposant.

---

33 *Le Parisien*, 13-08-2014.

POUR TOUS LES GOÛTS

Ils ont des hélicoptères, des avions, des chars, de gros 4X4 et nombre de véhicules blindés et de transporteurs de troupes. « *Ils possèdent également des missiles antichars, environ 4 000 mitrailleuses lourdes, des fusils d'assaut (kalachnikovs, M16...), des munitions en pagaille chipées dans des entrepôts de munitions de Mossoul, la deuxième ville d'Irak, dont la prise a été particulièrement fructueuse.*

« *L'équipement qu'ils ont récupéré est impressionnant, et leur argent leur permet d'en acheter encore plus, note le spécialiste du terrorisme Yves Trotignon, analyste senior chez Risk & Co. Certes, il faut des hommes qualifiés pour faire fonctionner ces armes. Mais il est clair que jamais organisation djihadiste n'a été aussi bien armée, aussi riche, aussi puissante. En termes de moyens, ils ont beaucoup, beaucoup plus que le GIA*[34] *algérien, les extrémistes égyptiens ou les talibans en leur temps* », poursuit cet ancien des services secrets français[35].

Amnistie Internationale, dans un rapport publié en novembre 2015, lui donnait raison : « *L'EI s'est procuré la majeure partie de son armement en s'emparant des stocks de l'armée irakienne. Il en a acquis également sur les champs de bataille, par le commerce illicite et par les défections de combattants en Irak et en Syrie*[36]. »

Et l'organisation internationale de préciser :

« *Le rapport conclut qu'une part importante de l'arsenal militaire actuel de l'EI correspond à des armes et des équipements provenant de stocks militaires irakiens mal*

---

34 Groupe Islamique Armé.

35 Idem.

36 Webdo 8 décembre 2015.

sécurisés qui ont été pillés, saisis ou obtenus dans le cadre d'un commerce illicite.

« L'EI a également eu accès à des armes provenant d'autres sources, notamment à des stocks de l'armée syrienne, saisis ou vendus, ainsi qu'à des armes fournies à des groupes d'opposition armés en Syrie par des pays comme la Turquie, les États du Golfe et les États-Unis. Ce rapport examine brièvement ces sources, mais il se concentre plus particulièrement sur la provenance des armes des forces armées irakiennes et sur la mauvaise gestion de celles-ci, puisqu'elles constituent aujourd'hui la majorité de l'arsenal de l'EI.

« Les combattants de l'EI disposent aujourd'hui de stocks importants, constitués principalement de variantes de fusils AK, mais également de fusils de type M16 de l'armée américaine, CQ chinois, HK G3 allemands et FAL de la société belge FN Herstal. Les experts ont également observé la présence des armes suivantes dans l'arsenal de l'EI : des fusils à lunette Steyr (Autriche) et Dragounov SVD (Russie) ; des mitrailleuses russes, chinoises, irakiennes et belges ; des missiles antichars venant d'ex-Union soviétique et d'ex-Yougoslavie ; des systèmes d'artillerie russes, chinois, iraniens et américains.

« L'EI a aussi réussi à s'emparer d'équipements plus avancés, comme des missiles antichars guidés (systèmes russes Kornet et Metis, HJ-8 chinois, missiles européens MILAN et HOT) et des missiles sol-air (MANPADS FN-6 chinois).

« La quantité et la variété des stocks d'armes et de munitions détenus par l'EI témoignent de décennies de transferts irresponsables d'armes vers l'Irak et de l'incapacité persistante de l'administration d'occupation dirigée par les États-Unis à gérer de façon sécurisée les livraisons d'armes et les stocks, ainsi que de la corruption endémique en Irak[37]*. »*

---

37 Amnesty International, 2015.

Et ce n'est pas tout car il faut savoir que l'EI, comme d'autres groupes armés, fabrique aussi certaines de ses armes. On peut penser aux grenades à main, aux mortiers, aux roquettes, aux voitures piégées ou même à des mines.

Jamais une organisation terroriste n'a possédé autant d'armes ni autant d'argent. Et jamais une organisation terroriste n'a agi avec autant de cruauté en tuant, mutilant et torturant tous ceux qui ne partagent pas son idéologie. Rien d'étonnant à ce que Al-Qaïda soit passé au second rang.

DES MILITANTS VENUS DE PARTOUT

Et en plus, l'EI attire des militants de partout !

Qu'est-ce qui les motive ?

Pour certains, c'est le goût de l'aventure, de la bagarre (il y a d'ailleurs de ces gens des deux côtés de la clôture). Pour d'autres, c'est la foi, le mysticisme, l'établissement d'une « vraie » religion, d'un califat véritable.

Après les attentats de Paris, le journaliste Boris Thiolay de *L'Express*, s'est rendu en Belgique où il a rencontré Alain Grignard, spécialiste de l'islam et commissaire à la division antiterroriste de la police fédérale.

Selon le commissaire, le système de « radicalisation » des jeunes islamistes devrait être revu. *« Ce sont non pas des islamistes radicaux, mais des radicaux islamisés », affirme-t-il*[38].

Souvent, expliquait Alain Grignard, il s'agit de petits délinquants qui sont "retournés" vers l'islamisme violent par des prêcheurs de rue. Le journaliste poursuit l'explication : une fois "retourné", un chef de bande peut ainsi se muer en pseudo-émir autour duquel se rassemblent des émules, plus ou moins proches : frères, copains...

Leurs activités illicites, poursuit-il, sont dès lors justifiées par une cause plus grande : "La cause".

---

38 *L'express*, n° 3360, 25 novembre au 1er décembre, p. 82.

« Les petits gangs radicaux se grisent de devenir membres du supergang : Daesh », conclut le commissaire.

Si un des membres du gang parvient à joindre la Syrie et y obtient une formation, il effectue un retour et incite ses proches à se rallier à lui, d'où les attentats qu'on a connus en France et que l'EI a immédiatement reconnus.

UNE MONTÉE ÉVIDENTE DE LA RADICALISATION

Le professeur Bassam Tahhan, géopoliticien et islamologue parisien réputé, sans être en désaccord avec cette position, va plus loin et plonge au cœur même de la culture de Daesh et du Front Al-Nosra. Dans une entrevue récente, il rappelait que voilà plusieurs décennies, il avait déjà lancé un cri d'alarme concernant le « danger de la radicalisation » en France[39].

« En tant que professeur d'arabe, c'était lié à ma vie de tous les jours, dans les banlieues. C'était clair, cette montée du radicalisme. Il y a une ignorance totale (du côté occidental, NDLR) *de la mentalité de Daesh, d'Al Nosra et de tous ces groupes qui consiste à considérer comme de l'idolâtrie la musique, le chant, la fête et, évidemment, l'alcool ou, si on veut, toutes les manifestations de fêtes arrosées. Et ça, c'est clair dans tous les discours des imams ou des chefs de guerre de cette mouvance, qu'elle soit en Syrie, en Irak, dans le royaume saoudite ou dans les pays du golfe. Ce qui, par ailleurs, ne les empêche pas de venir sur les Champs-Élysées et de violer toutes les règles qu'ils nous chantent dans leurs studios bien climatisés des monarchies du golfe… »*

Le décodage de ce discours, dit encore l'enseignant, aurait dû sensibiliser les services secrets et policiers qui auraient dû prêter une attention spéciale aux salles de spectacle.

---

39 Agence info libre, 10 décembre 2015.

« *Ça c'était facile, il y en a une cinquantaine* (de salles de spectacles) *à Paris.* »

« *C'est dans leur dogme! Le quatrième rite musulman le plus rigoriste à travers l'histoire, depuis le haut Moyen Âge, ils ont fait ça, même dans les grandes capitales musulmanes. Ils descendaient et cassaient les outres de vin et massacraient les chanteurs. Ils rassemblaient les instruments de musique et les brûlaient. Donc il fallait s'attendre à une réaction de cette sorte!*

« *Pour eux, la notion de jeu, l'aspect ludique, ça éloigne de Dieu. C'est stupide, mais... C'est dans leur façon de penser. Pour lutter contre un ennemi, il faut bien le connaître.* »

Il est clair que l'on n'a pas tenu compte suffisamment de cet élément, maintient le professeur Tahhan.

PAR OÙ VIENT LE RADICALISME

Dans le cas de San Bernardino, en Californie, où 14 personnes ont été tuées et 29 autres ont été blessées le 2 décembre 2015, David Bowdich, le directeur adjoint du bureau du FBI à Los Angeles, soutenait une semaine après le massacre que le couple qui a perpétré l'attentat s'était radicalisé.

« *La question maintenant est de savoir par qui et où ils se sont radicalisés. Peut-être qu'il n'y a pas de "par qui". Souvent cela se fait sur Internet.* »

Chose certaine, on sait que la femme du couple, Tashfeen Malik, 29 ans, a étudié à l'Institut al-Huda, à Multan, au Pakistan, une école qui n'est pas classée parmi les diffuseurs d'enseignements extrémistes même si elle a été critiquée pour avoir dispensé un enseignement proche de celui des talibans. « *C'est l'une des écoles coraniques pour femmes les plus en vue du pays, qui a également des bureaux aux États-Unis, aux Émirats, en Inde et au Royaume-Uni, en plus d'un campus en cours de construction au Canada* », précisait canoe.ca, une filiale de Québecor, après la tuerie.

L'État islamique a revendiqué le massacre en affirmant que deux de ses « partisans » avaient perpétré l'attaque de San Bernardino, mais des sources gouvernementales américaines indiquaient que rien ne permettait de dire que l'attaque a été dirigée par l'EI, *« ni même que l'organisation était au courant des projets du couple meurtrier »*.

Ce qui nous ramène à la dimension réelle de ce que le calife a mis sur pied: une organisation sans précédent et qui, contrairement à Al-Qaïda, possède un sol, des attaches concrètes, des armes et de l'argent... et des supporteurs.

L'INTERVENTION MILITAIRE EN IRAK

Mais comment cette organisation a-t-elle trouvé sa place ?

Encore une fois, tout part de Washington ou, pour être plus précis, de New York quand le général Colin Powell, pour justifier une intervention américaine en Irak, présente à l'ONU le Jordanien Abou Moussab Al-Zarkaoui comme étant le maillon entre Al-Qaïda et le dictateur Irakien Saddam Hussein.

On sait maintenant ce qu'il faut penser du rapport du général Powell, truffé d'imprécisions, de fausses affirmations, etc. Bref, un mensonge éhonté livré par un homme à la réputation pourtant sans tache jusque-là. Mais ce n'est que la pointe de l'iceberg.

Quand Powell livre ce message, Zarkaoui n'est qu'un petit joueur dans le monde de la « guerre sainte » et ses relations avec Oussama Ben Laden sont loin d'être convaincantes. Mais le général Powell lui donnera un rôle de premier plan lors de sa prestation devant le conseil de sécurité de l'ONU.

Quand l'armée américaine intervient en Irak, elle a enfin accès à des zones d'où elle était absente. Ces zones étaient principalement peuplées de sunnites.

Al-Zarkaoui passe alors à l'action, s'attaquant même à une mosquée chiite de Bagdad et tuant dans la foulée l'ayatollah Muhammad Bakir-al-Hakim.

Le journaliste Allan Kaval, ajoute cette explication: « *Dans les années qui suivent, les attaques attribuées au réseau d'Al-Zarkaoui se multiplient, provoquant la mort de centaines de personnes. Si certaines sont avérées, il bénéficie de l'effet grossissant de la propagande américaine pour laquelle il continue de jouer un rôle précieux : après avoir servi de prétexte à l'intervention de Washington en Irak, son importance est gonflée afin que l'opinion irakienne identifie l'insurrection sunnite, largement nationaliste, à un djihad apatride, porté par des individus déracinés comme le Jordanien Zarkaoui, lui-même identifié à l'ennemi absolu de Washington, Ben Laden*[40]. »

De fait, Zarkaoui devient, pour les Américains, l'homme à abattre en Irak, d'autant plus qu'en 2004, son organisation est finalement acceptée par Al-Qaïda, ce qui fait de lui, de facto, un des membres parmi les plus influents de l'organisation. Il est même reconnu émir d'Al-Qaïda pour l'Irak et l'Europe et la nouvelle suscite l'inquiétude des réseaux de renseignements allemand, français et hollandais.

Zarkaoui rejoint donc, idéologiquement, Ben Laden et participe, en janvier 2006, à la création du Conseil consultatif des Moudjahidines en Irak, tout comme Abou Bakr al-Baghdadi qui se proclamera « calife » quelques années plus tard. Quelques mois passent et, en octobre 2006, on assistera à la création de l'État islamique en Irak. Un avènement que Zarkaoui ne verra pas puisqu'il aura été tué en juin 2006.

Ici, il faut un brin d'explication...

Zarkaoui était un sunnite. Comme le calife. Même s'il était lié à Al-Qaïda, il combattait très activement les chiites

40 http://orientxxi.info

qui occupaient le pouvoir grâce aux forces américaines. Mais il était également prêt à frapper les sunnites si leur fidélité à « la cause » semblait douteuse. C'est ainsi que sa tribu l'avait renié, le 20 novembre 2005, à cause de son implication dans un attentat survenu à Amman, le même mois. Même son frère, constatant que l'attentat avait fait 67 morts, avait signé le rejet rédigé par la tribu.

Contrairement à Al-Qaïda, il n'aura pas d'hésitation quant au sort des chiites et quand il meurt, il laisse un testament derrière lui. Sa vision du combat était différente de celle de Ben Laden et des dirigeants d'Al-Qaïda. Ceux-ci voulaient combattre « l'ennemi lointain » qu'est l'Occident[41].

Zarkaoui, lui, préfère le combat rapproché et vise particulièrement les chiites et les vieux pouvoirs arabes, question de « souder » la volonté sunnite, la rallier et lui permettre d'exercer un pouvoir sur un territoire précis, avec ses propres institutions et dans des règles tout aussi précises. Il faut aussi ajouter que sa violence peu commune fait en sorte que plusieurs de ses partisans le délaissent, notamment après l'exécution d'un diplomate égyptien qui travaillait avec la nouvelle administration irakienne. Un « ennemi de Dieu » soutenait Zarkaoui...

Mais son message de combat rapproché sur un territoire précis n'est pas tombé dans l'oreille de sourds. Le futur calife, notamment, l'a entendu et il le reprendra à son compte, quitte à subir un lot d'insuccès de 2007 à 2009, date du début du retrait des troupes américaines. Les Américains étant prêts à partir, le calife aura le champ libre et pourra s'affranchir d'Al-Qaïda, d'autant plus qu'en 2011, l'équipe 6 des Navy Seals éliminera Ben Laden au Pakistan.

---

41 https ://fr.wikipedia.org/wiki/Abou_Moussab_Al-Zarqaoui#La_fusion_entre_al-Tawhid_et_al-Qaida

Dans l'État voisin de la Syrie, où ses bases sont moins établies qu'en Irak, « *l'État islamique irakien fonde en janvier 2012 une branche syrienne, Jabhat Al-Nosra, qui prend une importance croissante dans l'opposition armée à Bachar Al-Assad. La montée des tensions confessionnelles à l'échelle de toute la région, entraînée par le conflit syrien, ainsi que les opportunités territoriales représentées par une situation de guerre civile, servent les ambitions historiques de l'EII*[42] ».

Sur le terrain, les choses évoluent toujours : l'État islamique d'Irak et du Levant (Daesh) poursuit son chemin et songe même à incorporer le Front Al-Nosra, son équivalent en Syrie.

Ayman al-Zawahiri, le remplaçant du grand chef d'Al-Qaïda, n'est pas d'accord.

Le futur calife, conscient de sa force, ne tient pas compte de son opinion et se proclame calife. Il devient automatiquement l'ennemi public numéro un sur le plan mondial. Désormais, Daesh, ou l'État Islamique, existe sur une partie du territoire irakien et syrien.

Pour une organisation terroriste, « l'État » a une puissance sans précédent. Et l'accès à des sommes colossales, sans compter un comportement d'une violence inouïe qui lui permet de taxer les citoyens d'un territoire qu'il occupe.

« *L'EI est l'enfant illégitime d'Al-Qaïda, c'est la même idéologie, le même projet, mais avec une pensée moins politique, plus sectaire (anti-chiites) et une pratique beaucoup plus violente encore* », commente Christophe Ayad, chef du service international du journal *Le Monde* et spécialiste du Moyen-Orient[43].

---

42 http://orientxxi.info/magazine

43 http://www.lemonde.fr/proche-orient/article/2014/08/22/l-etat-islamique-l-alliance-entre-al-qaida-et-call-of-duty_4475486_3218.html

DES SOMMES COLOSSALES

De l'argent, le calife en a !

D'abord, les fonds trouvés dans les banques de Mossoul en juin 2014.

Selon le *Washington Post*, le braquage de la banque centrale a rapporté à l'EI 313 millions d'euros (plus ou moins 500 millions de dollars, selon les variations des taux de change) et l'*International Business Times* indiquait, toujours en juin 2014, que le saccage des autres banques a permis au califat de mettre la main sur une quantité d'or appréciable[44].

Sans parler de l'or, juste les sommes saisies dans les banques pouvaient alors permettre à l'EI de verser des soldes de 450 euros par mois à 60 000 combattants, pendant un an, toujours selon le *Washington Post* qui citait un analyste, Brown Moses. En septembre 2015, on apprenait que la solde d'un soldat de l'EI était de 300 dollars par mois[45]. De quoi tenir encore plus longtemps !

Ces sommes sont sidérales pour le commun des mortels !

Pourtant, pour une machine de guerre, il s'agit d'un petit budget, tout économe que soit l'administrateur des opérations. Mais l'État Islamique a également mis la main sur les puits de pétrole, ce qui, certes, ne l'empêchera pas d'être affecté par la chute du prix du brut.

« Selon le ministre canadien de la Défense, Rob Nicholson, l'impact de la chute du prix du pétrole brut sur le groupe État islamique (EI) a été l'objet de discussions, jeudi, lors d'une rencontre à Londres des 21 pays de la coalition

---

44 http://www.huffpostmaghreb.com/2014/06/14/eiil-irak-braquage-banque_n_5495046.html

45 http://www.huffingtonpost.fr/2014/09/22/etat-islamique-syrie-drapeaux-noirs-parades-armes-terreur_n_5859468.html

aérienne menée par les États-Unis pour combattre les militants extrémistes.

« Des responsables américains ont estimé l'automne dernier que l'EI générait jusqu'à un million de dollars par jour en vendant du pétrole par le biais d'un réseau de trafiquants au Moyen-Orient.

« Le département du Trésor américain, qui cherche à couper à la source les revenus du groupe, a mené une chasse internationale intense, et principalement cachée du public, afin de trouver qui faisait les ventes et qui achetait ce pétrole.

« Les revenus provenant du pétrole sont une des raisons pour lesquelles les frappes aériennes de la coalition ont parfois visé des raffineries contrôlées par les militants, l'été dernier[46]. »

Cette estimation était très modeste. D'une autre source, toujours américaine, on apprenait que l'EI avait en fait le double des revenus avancés par le département du Trésor américain. « *La production pétrolière de l'État Islamique (EI) est estimée à 800 millions de dollars par an, soit l'équivalent de 2 millions de dollars par jour, selon les calculs du cabinet américain IHS* »[47], annonçait le journal *Le Monde* dans son édition du 21 octobre 2014.

Le quotidien cite évidemment ses sources, à savoir un communiqué émanant de IHS. Inutile de chercher, il n'est plus accessible... Cependant, l'article du journal, lui, l'est toujours. Voici ce qu'on disait à ce moment : « *Le cabinet américain estime que l'EI contrôle des capacités de production de 350 000 barils par jour (bj), mais qu'il ne produit que 50 000 à 60 000 bj, qu'il vend ensuite au marché noir à un prix compris entre 25 dollars et 60 dollars le baril (40 dollars*

46 La Presse Canadienne, *Le Devoir*, 22 janvier 2015.

47 IHS : une entreprise américaine d'information de pointe qui comprend, notamment, le groupe Jane.

en moyenne) — soit bien moins que les tarifs pratiqués sur les marchés internationaux, le brent[48] *évoluant actuellement autour de 85 dollars le baril*[49]*.* »

On était alors en 2014. Les fluctuations de ce marché n'ont pas cessé. Le trafic du pétrole non plus.

En 2015, le cabinet britannique de l'IHS-Jane's[50] ajustait ses chiffres. « *L'EI*, disaient ces spécialistes, *tire environ la moitié de ses revenus des taxes qu'il prélève et 43 % du pétrole et du gaz, un secteur affaibli par les bombardements de la coalition internationale antidjihadistes et de la Russie*[51]*.* »

Toujours selon la même source, « *l'EI aurait du mal à équilibrer son budget et aurait été récemment contraint de baisser les salaires de ses combattants et d'augmenter les prix de services comme l'électricité, relève l'IHS, qui assure que le groupe extrémiste sunnite, à la recherche de financements alternatifs, taxe désormais systématiquement la population qui cherche à quitter ses territoires* ».

Les sources de revenus du calife sont cependant multiples : « *production et trafic de pétrole et de gaz, taxation des activités commerciales sur les territoires qu'il contrôle, confiscation de terres et de propriétés, trafic de drogues et d'antiquités, activités criminelles comme braquages de banques ou enlèvements contre rançon ainsi que les entreprises publiques* ».

48 Le brent est le pétrole produit en mer du Nord, en Europe.

49 *Le Monde*, 21 octobre 2014.

50 Jane est une entreprise de renseignements en matière de défense, de sécurité, de transports et de police.

51 AFP, 7 décembre 2015, paru sur 45enord.ca

COMME LA MAFIA

Parce que « l'État » islamique se comporte comme le véritable administrateur mafieux d'un territoire. Voici ce qu'en dit un reportage signé de l'AFP et du *Huffington Post.*

« Le fief du groupe État islamique (EI) en Syrie est monochrome : tout y est noir, depuis les turbans des hommes jusqu'aux voiles des femmes. Même les passeports.

« Les drapeaux noirs de l'EI sont partout. Les femmes sont couvertes de la tête aux pieds par des burqas noires et ne peuvent sortir de chez elles que si elles sont accompagnées de leur père, leur frère ou leur mari », déclare Abou Youssef, militant de la province de Raqa, bastion de l'EI dans le Nord syrien. Et les passeports de l'EI ? "Noirs".

«Brigades de femmes et d'hommes

« À Raqa, l'EI régit tous les aspects de la vie. Les djihadistes -- seuls autorisés à posséder des armes -- paradent dans les rues, kalachnikov ou pistolets au poing, et deux forces de sécurité distinctes sont chargées de contrôler les femmes et les hommes, raconte Abou Youssef via Internet.

« "La brigade Khansaa est composée de femmes membres de l'EI. Elles sont armées et ont le droit d'arrêter et de fouiller n'importe quelle femme dans la rue", explique le militant. La brigade Hesbeh agit de même avec les hommes, se chargeant elle aussi d'imposer la vision de l'EI de la loi islamique.

« L'EI a également "des ministères pour tout ce que vous pouvez imaginer : éducation, santé, eau, électricité, affaires religieuses et défense. Tous les ministères occupent d'anciens immeubles du gouvernement". "Il y a même une autorité de protection des consommateurs", ironise-t-il. L'éducation est basée sur une stricte interprétation de la loi islamique, et des camps d'entraînement pour les jeunes garçons ont été mis en place, précise-t-il.

*« **Rien d'amusant***

« Les jihadistes interdisent aux habitants de profiter des lieux publics auxquels eux-mêmes ont accès, rapportent régulièrement des militants à Raqa, qui ont diffusé sur Internet des photos montrant des cafés remplis uniquement de jihadistes. À Deir Ezzor, ville de l'Est syrien où les habitants ont vainement tenté de repousser l'EI, tous les cafés ont fermé.

« Rien de bon ou d'amusant n'est autorisé, déclare le militant Rayan al-Fourati, via internet. « C'est impossible d'imaginer quelqu'un fumer, ou vendre du tabac. C'est impossible de voir une femme sans voile intégral. Et chaque jour, quand le muezzin appelle à la prière, tout le monde ferme sa boutique et va à la mosquée, sous peine de prison."

« Les jihadistes, eux, bénéficient de nombreux avantages. Le salaire de base de l'EI est de 300 dollars par mois, selon Fourat al-Wafaa, un militant de Raqa utilisant un pseudonyme. "Dans les circonstances actuelles, cela représente beaucoup d'argent", déclare-t-il via internet. Mais cette générosité ne s'étend pas aux habitants.

*« **Une mafia qui gouverne par la terreur***

« "L'EI n'est pas vraiment un État. Il donne à ses membres tous les avantages qu'ils veulent, mais les autres citoyens n'en bénéficient pas", explique Fourat. "C'est une mafia qui gouverne par la terreur. Et les gens sont forcés par la faim à rejoindre leurs rangs, car c'est la seule manière d'avoir un salaire décent".

« D'autant que l'EI prélève des impôts: des commerçants, déjà appauvris par la guerre, doivent ainsi payer 60 dollars par mois. "Même ceux qui sont trop pauvres pour payer doivent s'y plier. Alors les gens rejoignent (l'EI) car ils doivent choisir entre mourir de faim ou les rejoindre et se livrer eux aussi à l'extorsion", déclare le militant.

« ***Mouvement de colonisation***

« Pour Rayan al-Fourati, qui a récemment fui Deir Ezzor, l'EI s'apparente à un mouvement de colonisation. "De même qu'Israël a occupé la Palestine avec les colons, la même chose s'est passée ici", déclare-t-il. "Il y a des jihadistes étrangers, même des Américains, qui vivent avec leurs familles là où nous vivions avant", déclare-t-il, utilisant un pseudonyme.

« Les jihadistes ont pris possession de champs pétroliers et gaziers, de centrales électriques et de barrages, qu'ils maintiennent en activité, versant un salaire supplémentaire aux employés de ces infrastructures, qui continuent également à recevoir de l'argent du gouvernement syrien.

« Selon Rayan, les employés appartenant à la minorité alaouite du président Bachar al-Assad ont fui quand l'EI est arrivé dans la province. Mais les autres sont restés, après avoir "reçu des garanties qu'on ne leur ferait pas de mal".

« Selon Nael Moustafa, un autre militant vivant toujours à Raqa et contacté via internet, les jihadistes n'hésitent pas à fouiller les maisons, les téléphones et les ordinateurs à la recherche de preuves de ce qu'ils considèrent comme des pratiques "immorales". "Ils pensent que tout appartient à Dieu et se trouve donc sous leur contrôle", souligne-t-il[52]. »

Bref, sur ce territoire, il n'y a rien de drôle et les alliés du passé semblent s'être volatilisés.

LA PROGRESSION DE DAESH

Les efforts de la coalition mise en place pour soutenir Bagdad semblaient plutôt « mous » après le départ des Américains. Utilisation de drones, de frappes aériennes, jamais au

---

52 http://www.huffingtonpost.fr/2014/09/22/etat-islamique-syrie-drapeaux-noirs-parades-armes-terreur_n_5859468.html

moment voulu, selon des membres du commandement des forces opposées à l'EI.

Bref, les forces de l'État Islamique continuaient de progresser, ce qui causait des soucis aux combattants qui y étaient opposés et qui ne comprenaient pas clairement la stratégie occidentale (ou des États-Unis, parce que, avant le 13 novembre 2015, il n'y avait qu'eux, pratiquement).

Sur le terrain, les choses étaient cependant très claires : si les frappes, jugées aléatoires par plusieurs combattants anti-EI, causaient des ennuis aux hommes du calife Ibrahim, leur progression n'en était que ralentie, malgré tous les efforts combinés des Kurdes, de Bachar Al-Assad, des forces gouvernementales irakiennes et, plus modestement, des Turcs, dont le gouvernement a eu, c'est le moins que l'on puisse dire, un comportement étonnant dans toute cette crise. Avec la complaisance de Washington. « *Les États-Unis doivent cesser de trouver des excuses à Ankara et exiger qu'Erdogan prenne des mesures pour enrayer l'afflux de jihadistes et cesser d'acheter du pétrole à l'EI, ce qui permet à l'organisation terroriste de financer ses actions meurtrières* », écrivait dans le *Huffington Post* français Alon Ben-Meir, directeur exécutif du Center for Global Affairs de l'Université de New York[53].

Pour résumer le tout, disons que nombre de combattants sur le terrain ne comprenaient pas le comportement des alliés ni celui des Turcs.

Les Kurdes se tiraient mieux d'affaire, même s'ils devaient se battre avec l'énergie du désespoir et l'Europe se retrouvait à devoir gérer une crise de réfugiés sans précédent...

La seule organisation qui semblait ne pas trop souffrir, même si elle ne devait pas aimer les répliques qu'on

53 http://www.huffingtonpost.fr/alon-benmeir/etat-islamique-moyen-orient_b_5860880.html

lui opposait, c'était le califat d'Ibrahim. D'accord, le terme « souffrance » est peut-être exagéré, mais, essentiellement, le califat poursuivait son but. Il continuait à vendre du pétrole, poursuivait ses attaques et prenait même de l'expansion en Afrique du Nord.

L'arrivée des Russes dans le décor n'a rien eu d'étonnant.

Tout d'abord, Bachar Al-Assad a toujours été leur allié, à tel point qu'il s'est même opposé au passage sur son territoire d'un oléoduc en partance du Qatar qui aurait pu approvisionner l'Europe en gaz, et ce, au détriment de la Russie. Cette décision d'Al-Assad peut peut-être expliquer une partie des ennuis qu'il a eu à gérer. L'autre raison qui a emmené les Russes sur le terrain, c'est que la Syrie leur permet d'utiliser le port de Tartous, la seule base navale qui leur donne accès à la Méditerranée.

À la lueur de ce qui se passait en Syrie, advenant que le calife Ibrahim prenne le contrôle du territoire, il était raisonnable de penser que cette entente ne serait pas reconduite. Et les Russes, qui ont une importante population musulmane, ne tenaient absolument pas à ce que Daesh puisse prendre pied à l'ombre du Kremlin.

Ajoutons également que dès 2007, en accord avec l'Arabie Saoudite, l'administration américaine avait décidé de déstabiliser le régime Al-Assad[54].

Pour les Russes, se retrouver face aux hommes de l'État islamique était la poursuite d'un cauchemar déjà vieux de 35 ans.

---

54 *The New Yorker*, article « The Redirection », 5 mars 2007, Seymour M. Hersh.

MOUDJAHIDINES MADE IN USA

Quand on lit les textes d'opinion de certains spécialistes de l'ancien bloc de l'Est, on comprend bien que, pour les Russes, l'existence même des moudjahidines est une création américaine.

Selon ces spécialistes, les moudjahidines ont été mis en place pour nuire au gouvernement réformateur afghan de Taraki, tué lors d'un coup d'État en septembre 1979. Ce fut alors Hazifullah Amin, un agent de la CIA, disent les Russes, qui prit la relève et discrédita complètement le gouvernement en multipliant les actes répressifs.

Coincé, Amin fut tué à son tour et remplacé par Babrak Karmal alors que les troupes soviétiques étaient déjà entrées en Afghanistan pour l'appuyer dans sa lutte contre les moudjahidines.

Là où ces mêmes spécialistes marquent des points, c'est que l'ancien directeur de la CIA, Robert Gates, indique dans ses mémoires[55] que six mois avant l'arrivée des Soviétiques, les services secrets américains avaient déjà commencé à aider les moudjahidines en Afghanistan.

L'information a été confirmée par le conseiller à la sécurité du président Jimmy Carter, Zbigniew Brzezinski, dans une entrevue qu'il accordait à l'hebdomadaire français *Le Nouvel Observateur*, en 1998[56].

« En réalité, dit-il au cours de cette entrevue, la version officielle, c'est que la CIA a aidé les moudjahidines à compter de 1980 alors que l'armée soviétique avait envahi l'Afghanistan en décembre 1979. Le secret a été bien gardé, mais ce n'est pas ainsi que ça s'est passé. Dès le 3 juillet 1979, le président (Jimmy) Carter a signé un arrêté ordonnant qu'on

---

55 *From the Shadows*, Robert Gates, Simon & Schuster.

56 Interview de Zbigniew Brzezinski, *Le Nouvel Observateur*, Janv. 15-21, 1998, p. 76.

appuie les opposants au régime prosoviétique en place à Kaboul. Le même jour, j'ai envoyé un mot au président en lui faisant remarquer que cette décision mènerait probablement à une intervention de la part de l'URSS. »

Le conseiller à la sécurité indique ensuite qu'il n'a aucun regret de la suite des événements.

« Regretter quoi ? Cette opération secrète était une excellente idée. L'URSS a été coincée dans la poudrière afghane et vous voudriez que j'aie des regrets ? »

« Moscou, ajoute-t-il, s'est enlisé sur ce territoire pendant dix ans dans une guerre dont les Soviétiques n'avaient pas les moyens et qui a conduit à la chute de l'empire soviétique. »

« Et vous n'avez aucun regret d'avoir armé des intégristes qui risquaient de se transformer en terroristes ? » de demander en substance le journaliste qui ajoute que ces gens représentent une menace réelle et planétaire.

À cette question, le conseiller de Jimmy Carter répond : *« C'est de la foutaise, tout ça. On dit que l'Occident a une politique globale en ce qui concerne l'islam. C'est ridicule. Il n'y a pas d'islam global. Abordez cette question de façon rationnelle, sans démagogie ou émotion. C'est la religion la plus importante au monde, mais qu'est-ce que les fondamentalistes d'Arabie Saoudite ont en commun avec les Marocains modérés, les militaires pakistanais, l'Égypte pro-occidentale ou les traditionalistes d'Asie centrale ? Rien de plus que ce qui unit les pays chrétiens. » (Traduction libre)*

C'est donc la CIA qui a financé et armé les moudjahidines, des musulmans fanatiques qui devaient semer la terreur pendant des années sous le couvert d'une lutte contre l'Armée rouge et s'élevèrent contre les réformes du gouvernement Taraki qui menaçaient les biens et propriétés de 250 000 mollahs, lesquels ne cessaient de répéter à leurs concitoyens que seul Allah pouvait leur donner de la terre ou décider de faire instruire les filles. Évidemment, les mollahs étaient les propriétaires terriens et ils n'avaient rien à faire de l'instruction des filles.

Ce sont ces gens, des religieux ultraconservateurs, qui se sont réfugiés au Pakistan et que la CIA a armés et entraînés.

MÉTASTASES

C'est également à cette époque qu'on commence à entendre parler de Ben Laden qui se retrouve, comme des milliers d'autres étrangers provenant de divers pays islamiques, en Afghanistan pour lutter contre l'Armée rouge.

Après la chute du régime afghan, en 1992 (même si les Soviétiques sont partis en 1989, le gouvernement s'est maintenu en place un certain temps), les diverses factions de moudjahidines ont mis le pays à feu et à sang jusqu'à ce que les talibans les chassent et mettent en place un régime ultraconservateur.

L'ennui avec cette tactique établie par la CIA, c'est que les moudjahidines ne sont pas disparus après avoir été chassés par les talibans.

« *Ils se sont métastasés et ont développé leur vie propre, se répandant dans les différentes parties du monde musulman. Ils ont combattu les Serbes en Bosnie et au Kosovo, avec l'appui des États-Unis qui savaient pertinemment bien ce qui se passait. Mais à compter de ce moment, ironiquement, après avoir vaincu l'impérialisme soviétique, ces "combattants de la liberté*[57]*" ont jeté un nouveau regard sur l'impérialisme américain et tout particulièrement sur l'appui que les États-Unis accordaient à Israël et ses attaques contre les territoires musulmans. C'est ainsi qu'une création américaine, ces*

57 Nom que leur avait donné Ronald Reagan quand ils se battaient en Afghanistan contre les Soviétiques.

fameux combattants de la liberté, s'est retournée contre eux et s'est terminée par la catastrophe du 11 septembre 2001.

« *... Dans leur bulle, les Américains n'ont jamais réalisé que s'ils avaient laissé le gouvernement Taraki (Afghanistan, 1979) faire ses réformes, il n'y aurait pas eu d'armées de moudjahidines, pas d'intervention soviétique, pas de guerre destructrice en Afghanistan, pas d'Oussama Ben Laden et probablement pas d'attentats du 11 septembre...*[58] », soutient le professeur d'histoire et de politique Vladislav Sotirovic, de l'Université Mykolas Romeris, de Vilnius, en Lituanie.

Aujourd'hui, les gens formés et financés par la CIA ainsi que leurs héritiers se retrouvent sous l'étendard de Daesh.

Évidemment, la coalition et les Russes, sans compter les Iraniens, viendront probablement à bout des forces de Daesh en Irak et en Syrie, mais ce sera au prix d'une déstabilisation totale de la région, déjà sérieusement ébranlée. Le pire, c'est que même si le « califat » est un jour éliminé, son idéologie perdurera et il faudra composer avec ce que l'Occident appelle les loups solitaires.

Après les attentats de Saint-Jean-sur-Richelieu, puis d'Ottawa, on avait tout lieu de croire que ce genre d'incident était effectivement l'œuvre de désaxés qui agissaient seuls. Les attentats de Paris ont cependant démontré que le « message » et le combat de Daesh peuvent être « exportés » d'une façon organisée, tout comme en a donné la preuve la tuerie de San Bernardino, en Californie.

La police fédérale américaine a peut-être raison de penser que les auteurs de l'attentat commis en Californie ont agi sans même que Daesh soit au courant. Il en va proba-

58 Professeur Vladislav Sotirovic, historien et politologue, Université Mykolas Romeris, Vilnius, Lituanie.

blement de même pour Saint-Jean-sur-Richelieu et Ottawa. Mais pas pour Paris.

Le problème demeurera entier encore longtemps, d'autant plus que des cellules de Daesh apparaissent un peu partout. C'est le cas de la Lybie, de la Tunisie, et, dans une moindre mesure, de l'Algérie, de l'Afghanistan, ou du Yémen, entre autres...

C'est donc dire que la création américaine visant à « embêter » l'Armée rouge en Afghanistan est devenue une pieuvre aux tentacules si étendus qu'elle en est devenue incontrôlable... Et dangereuse pour l'Occident autant que pour les musulmans, comme les Iraniens, qui ont le malheur de ne pas voir leur foi de la même façon que le calife.

TRADITIONALISME ET HAUTE TECHNOLOGIE

Les contradictions n'existent pas dans le monde clair-obscur du renseignement, de la désinformation et de l'intoxication.

Assez curieusement, d'ailleurs, quand il faut coudre une affaire de fil blanc, aussi bien que ce soit du câble blanc.

On en a eu plusieurs exemples dans le passé : les services secrets français ont raconté (et convaincu l'opinion) que Jean-Bedel Bokassa, le dictateur de Centrafrique à la fin des années 1970, était cannibale.

Pendant la Deuxième Guerre mondiale, on a utilisé des leurres pour faire croire aux nazis que de vastes opérations militaires étaient en cours.

Songeons également au cheval de Troie. Belle opération et véritable cadeau de Grecs : une sculpture gigantesque gorgée de soldats qui n'attendent que le bon moment pour déferler sur leurs ennemis.

En matière militaire, il n'y a pas de limites pour berner et vaincre l'ennemi.

Quand il s'agit d'opérations pour se débarrasser d'un envahisseur, il est facile de légitimer les décisions. Mais il ne faut pas perdre de vue qu'une armée est un élément violent dont le but premier n'est pas la défense, mais l'agression, exception faite des pays qui n'ont pas la capacité monétaire pour lui assurer la possibilité d'agressions envers ses voisins. Dans de tels cas, l'armée est un élément défensif et il est facile de justifier son existence et les budgets qu'on lui accorde. N'oublions pas, tout de même, que s'ils n'ont pas les moyens d'agresser un voisin, les militaires demeurent une menace redoutable pour leur propre gouvernement et leur propre population. On n'a qu'à penser à Haïti où les miliciens et militaires ont fait ce que bon leur semblait pendant des années.

Le fait, pour la communauté internationale, d'avoir réduit à néant ces milices et cette armée a cependant, a contrario, démontré que cette solution n'est pas forcément la bonne. Ceux qui ont eu à travailler à Haïti ne le savent que trop bien.

Cependant, quand une armée est défensive et qu'elle est bien encadrée, les choses peuvent se passer un peu mieux.

Un peu le principe suisse. Dans ce pays, chaque citoyen de moins de 55 ans est un militaire armé qui se doit de donner deux semaines par année au pays.

Ou encore le Canada qui a développé le principe des Casques bleus.

N'ayant pas de véritable capacité d'agression militaire, le Canada utilisait son armée autrement lors de « missions de paix » et augmentait ainsi son influence diplomatique. C'était avant le Rwanda et l'arrivée de Stephen Harper. Ce qui n'a jamais empêché le Canada de jouer sur le terrain des grands dans le domaine des renseignements…

Ce petit État (sur la scène mondiale, s'entend) n'a pas, officiellement, de service d'espionnage. Juste un service de contre-espionnage né des bavures faites au cours des années 1970 par la GRC (Gendarmerie Royale du Canada) qui voulait à tout prix contrer la montée nationaliste au Québec. Les bêtises commises ont été telles qu'on a retiré à cette police ses prérogatives en matière de renseignements. Officiellement. Parce que, officieusement, malgré la mise en place du SCRS (Service canadien de renseignements de sécurité), la GRC a, hélas, poursuivi ses collectes de renseignements, jalouse de ses privilèges d'antan.

Quant au SCRS, on a vu à qui on en a parfois confié les rênes. Le docteur Arthur Porter, qui a fraudé le Centre hospitalier universitaire de McGill, a été un des dirigeants que Harper a nommés au conseil de direction du SCRS.

Sans compter que le gouvernement Harper a créé de toutes pièces une centrale de renseignements militaire dont on parle à peine, à tel point que tout le monde se demande si ce service existe vraiment. Et pourtant, le service de renseignements militaire existe bel et bien.

Mais une chose est certaine : le renseignement est vital.

Autant que la propagande qui provient généralement de la même source.

DAESH JOUE LA CARTE DE LA SÉDUCTION

Daesh a très bien compris cela. Différence majeure cependant avec la propagande militaire occidentale, les messages de Daesh sont séducteurs et collent à une imagerie familière aux jeunes gens.

Il faut bien comprendre que ce phénomène de séduction découle directement de l'âge des combattants de Daesh. Ceux-ci sont nettement plus jeunes que les militants d'Al-Qaïda qui font maintenant figure de vétérans, ce qui n'est pas tout à fait faux quand on sait que la plupart ont eu leur baptême du feu dès 1980, alors qu'ils se battaient en Afghanistan.

De leur côté, les militants de Daesh ont, pour beaucoup, grandi au cours de l'occupation américaine de l'Irak.

À cela, il faut ajouter que de nombreux militants proviennent des pays occidentaux dont ils sont citoyens, qu'ils ont été formés dans des écoles nord-américaines ou européennes et qu'ils sont rompus aux technologies qui n'ont cessé de déferler sur les pays riches depuis plus de vingt ans.

La qualité des films de l'État islamique (ou Daesh) en est la preuve.

On est très loin des films de chats lancés sur YouTube par une personne qui filme les prouesses de son minou avec son téléphone.

Dans le cas de Daesh, certains produits ont une qualité qui rivalise dramatiquement avec Hollywood à qui ils ont par ailleurs emprunté le développement des situations et l'horreur de certaines scènes. La grande différence entre Hollywood et Daesh, c'est que les images provenant du califat sont authentiques. Réelles.

Mais la qualité de ces produits est aussi, en quelque sorte, un gage rassurant pour les sympathisants de la cause du califat puisque, de toute évidence, l'État islamique a les reins suffisamment solides pour se permettre de telles productions.

Un constat rassurant pour qui veut épouser la cause.

Il s'agit de cinéma. De vrai cinéma, avec des montages complexes. Mais il y a aussi l'autre cinéma de l'État islamique, celui plus amateur avec des horreurs qu'on diffuse allègrement. Comme les mutilations, les décapitations, les « aveux » de certains prisonniers, etc. Certains éléments deviennent rapidement viraux.

Voici ce qu'en dit Mathieu Slama, consultant et analyste politique, dans le *Huffington Post Québec*: « *À la mi-septembre 2014 est diffusé sur YouTube un long métrage qui révolutionne littéralement les codes de communication et marque une véritable étape dans la professionnalisation du dispositif de propagande de l'EI.*

« *Intitulé* Flames of War, *il fait le récit des conquêtes territoriales de l'EI. Le film est un objet de communication inédit: ce qu'on regarde ressemble à du cinéma, mais c'est pourtant bel et bien la réalité qui est montrée. Une réalité certes scénarisée, mais la réalité quand même. Du jamais vu.*

« Après une première séquence et un générique introduit par la voix charismatique du porte-parole de l'organisation Abu Mohammed al-Adnani, les scènes de guerre, d'une beauté visuelle stupéfiante, se succèdent pour conclure sur une menace d'al-Baghdadi adressée à l'Amérique. La qualité de l'image interpelle : la définition est impeccable, les filtres caméras omniprésents. La mise en scène est d'une sophistication extrême, utilisant à plein régime le langage cinématographique : ralentis à foison, montage épileptique, utilisation pour certaines séquences de caméras à l'épaule, séquence de bataille la nuit via l'utilisation de caméras à vision nocturne. Des musiques religieuses font le lien entre les scènes de guerre. Et surtout, une voix off se fait entendre tout le long du film : en anglais, le narrateur s'exprime au passé, décrivant les exploits guerriers des héros de l'État islamique, à la manière d'un Homère racontant les exploits d'Achille. Cette comparaison n'est pas absurde : dans les deux cas, il s'agit de construire, par l'écrit ou par l'image, une véritable mythologie par le biais de grands récits fondateurs[59]. »

Toujours selon l'auteur de l'article, Daesh a adapté son discours afin de rejoindre des candidats potentiels qui pourraient épouser sa cause. Ces « candidats » ayant été soumis à l'influence occidentale, il est de mise de leur livrer un discours auquel ils peuvent s'attacher et, surtout, un discours qui s'appuie sur les textes sacrés légitimant l'action entreprise par Daesh.

La formule semble fonctionner puisque le nombre de djihadistes provenant des pays occidentaux n'a cessé de croître. Le discours du calife, quand il s'autoproclame à la mosquée de Mossoul, est dans cette lignée.

---

59 http://quebec.huffingtonpost.ca/mathieu-slama/etat-islamique-images_b_6698364.html

« Peu d'observateurs ont souligné qu'il s'agissait, quasiment mot pour mot, des paroles prononcées par le premier calife de l'Islam, Abu Bakr as-Siddiq, à la mort de Mahomet en 632. Le symbole est très fort, et permet de mieux comprendre ce qui, derrière la puissance des images, donne à l'État islamique une telle aura et un tel pouvoir d'attraction auprès de jeunes musulmans occidentaux radicalisés qui vivent dans des sociétés qui, pour reprendre le mot de l'historien du monde arabe Henry Laurens, "ont perdu le sens du sacré"[60]. »

L'islamologue Bassam Tahhan dit, en substance, la même chose. Selon lui, tout reprendrait vite sa place si les Russes disaient à la coalition que Bachar al-Assad s'en va. *« Tout le monde croyait à la chute imminente d'Assad. S'ils y tiennent tant, c'est que si Assad reste, ça veut dire que l'Occident a perdu la bataille... Ils cherchent à sauver la face. Après l'effondrement de l'Union soviétique, ils ne peuvent pas tolérer la renaissance d'une Russie chrétienne qui incarne nos valeurs occidentales alors que nous, on les a perdues. »*

Dans cette affaire, explique l'islamologue, il faut comprendre que la Turquie a provoqué volontairement les Russes en abattant un avion pour tenter de forcer l'Otan à s'en mêler. *« Je crois que Tayyip Erdogan (le président turc) a agi en chef de contrebande. Quand Assad s'est réconcilié avec la Turquie, la contrebande a alors cessé puisque les frontières étaient ouvertes*[61]. »

Pourtant, les services de renseignements occidentaux ont, les premiers, dénoncé la contrebande de pétrole que menait Daesh en disant qu'il s'agissait là d'une de ses principales sources de financement.

---

60 Mathieu Slama, Huffington Post.ca, 17-02-2015.

61 Entrevue Bassam Tahhan, agenceinfolibre.fr 10-12-2015.

Grâce à cet argent et à la technologie que maîtrisent les jeunes militants, le califat peut mener une lutte efficace sur le plan idéologique. Quand le président Poutine, après que l'avion russe a été abattu, a révélé que c'était la famille du dirigeant turc qui écoulait le pétrole de Daesh, les alliés sont demeurés étrangement discrets. Évidemment, il faut savoir que la Turquie est membre de l'OTAN, ce qui peut expliquer ce manque d'empressement à la dénonciation.

« *Je crois que Erdogan agit avec la vieille mentalité turque de contrebande en vendant le pétrole de Daesh. Poutine a promis de déposer toutes les preuves dont il dispose afin de démontrer que le clan du premier ministre est impliqué dans ce scandale de vente du pétrole syrien. Ça nous démontre qu'aujourd'hui, Poutine incarne plus les valeurs positives de l'Occident que les Occidentaux eux-mêmes qui continuent de soutenir la Turquie et là, ça rejoint mon idée que l'Occident veut détruire l'Islam de l'intérieur. Les monter les uns contre les autres. Aujourd'hui, le pays le plus menacé d'éclatement, c'est la Turquie. Ce pays va imploser. Nous autres Occidentaux, nous ne défendons plus nos valeurs ! Appelez ça valeurs morales, chrétiennes, lumières, tout ce que vous voulez... Qui les défend ? Poutine, par sa poigne, son grand esprit de géo-stratège a réussi à tenir le Moyen-Orient*[62]. »

LES CHOSES CHANGENT... UN PEU

À la même époque, c'est-à-dire à l'automne 2015, les États-Unis commencent à prendre leurs distances face à Israël. Doucement, tout doucement.

La période des Fêtes allait changer bien des choses dans le monde de la propagande. Au cours du mois de décembre, on allait assister à un « rapprochement » (si la chose est possible) entre la France et la Russie.

62 Idem.

Ce qui survenait quelques semaines après la poignée de main entre Vladimir Poutine et Barack Obama (on avait l'impression que les deux avaient hâte de se laver les mains). Ce qui n'a pas empêché le secrétaire d'État John Kerry de se rendre lui-même à Moscou en décembre 2015 alors qu'un « rapprochement » entre les États-Unis d'Amérique et l'Iran se manifestait... D'accord, il ne s'agissait pas de grandes embrassades, mais les diplomates, au moins, se parlaient un peu.

Des deux côtés de la bouche.

Après tout, on ne peut pas avoir été ennemis pendant des décennies et devenir, du jour au lendemain, de grands amis...

Chose certaine, malgré leurs différences de vision, Moscou et Washington promettaient de discuter d'un plan de paix pour la Syrie dès janvier 2016. Les diplomates faisaient alors des déclarations pieuses que relayaient les médias. Lors de sa rencontre avec Vladimir Poutine, M. Kerry, notamment, faisait part de son « inquiétude » en mentionnant que les Russes, selon lui, ne visaient pas les bons ennemis, une accusation répétée à de nombreuses reprises depuis que l'armée russe a débarqué en territoire syrien, en septembre 2015.

GUERRE DE MOTS ET D'IMAGES

Autre épisode dans cette guerre livrée par médias interposés, le pape François surprenait la planète, en mai 2015, en reconnaissant officiellement l'État palestinien. Ce qui, en fait, n'était qu'une formalité puisque l'État du Vatican, dans le passé, avait déjà reconnu diplomatiquement l'Organisation de libération de la Palestine. Il s'agissait donc simplement d'un transfert de reconnaissance. Ce qui n'a pas empêché de faire fulminer les Israéliens[63].

---

63 https://francais.rt.com/international/2358-Vatican-reconnaît-Palestine

Puis, en janvier 2016, survenait un autre coup médiatique qui, celui-là, allait provoquer des remous sociaux au Proche et au Moyen-Orient et rapporter l'attention sur l'univers des terroristes. Le gouvernement saoudien procédait à l'exécution de 47 personnes pour des actes de terrorisme, dont un important religieux chiite, le cheikh Nimr Baqer al-Nimr reconnu coupable de sédition et de désobéissance au souverain par un tribunal de Ryad.

« La mise à mort du cheikh Nimr Baqer al-Nimr, figure de la contestation contre le pouvoir en place en Arabie Saoudite, a provoqué la colère notamment dans les communautés chiites d'Arabie Saoudite, d'Iran, d'Irak, du Liban et de Bahreïn[64]*.* »

En Iran, l'ambassade et un consulat saoudien étaient saccagés et l'Arabie Saoudite rompait ses relations diplomatiques avec l'Iran, un geste lourd de sens.

Le ministère des Affaires étrangères allemand résumait, en substance, les préoccupations de toutes les chancelleries européennes et des gouvernements du reste de la planète : « *L'exécution de Nimr Baqer al-Nimr renforce l'inquiétude actuelle quant à une tension croissante [...] au sein de la région.* »

Chose certaine, les relations entre chiites et sunnites n'allaient pas s'améliorer. En fait, c'est l'exécution de ce religieux qui a posé problème. Les 46 autres exécutions n'ont soulevé l'ire de personne et ce ne sont pas les Iraniens qui s'en seraient émus puisqu'ils font régulièrement la même chose, tout chiites qu'ils soient.

« *S'il y a bien une chose que le régime en Iran poursuit avec la régularité d'un métronome, ce sont les exécutions. Quoi qu'il arrive, il lui faut sa dose pour se maintenir au*

64 http://www.aps.dz/monde/34251-arabie-saoudite-appels-au-calme-et- %e0-la-retenue-apr %e8s-l-ex %e9cution-d-un-dignitaire-chiite

pouvoir. Ainsi le 24 novembre a-t-il exécuté 5 condamnés à Minab dans la province de Hormozegan dans l'extrême sud de l'Iran.

« Le 30 novembre, les mollahs ont procédé à 2 exécutions à la prison Lakan de Racht (nord de l'Iran) et 2 autres à Zahedan (sud-est).

« Cela porte à 47 les exécutions au mois de novembre, pour celles dont les informations ont filtré jusqu'à présent, et à 910 pour l'année 2015.

« Les Iraniens perdent leur jeunesse sur les potences[65]*. »*

RUPTURE AVEC LE PASSÉ

Ce qui nous ramène à Daesh puisque la guerre des mots et des images n'est pas l'apanage exclusif des États ou des princes.

Dans le cas de Daesh (ou EI ou califat), il y a, dans l'effort de propagande, une grande différence avec ce qui se faisait dans le passé.

Dans les années 1970 ou 1980, après un coup d'éclat, la revendication du geste par une organisation – généralement à caractère politique – suffisait à assurer au groupe la publicité recherchée, les médias traditionnels se chargeant de faire le travail. Après la lutte contre les Soviétiques en Afghanistan, les gestes posés par les talibans ont suffi à faire la publicité de ce régime particulièrement conservateur, pour ne pas dire arriéré.

De leur côté, les moudjahidines ne sont pas restés inactifs, même si les talibans les avaient chassés. Des attentats se sont multipliés en Europe et certains ont eu lieu aux États-Unis. Notre propos concerne évidemment les attentats liés à LA cause islamiste et ne tient pas compte des attentats

---

65 http://iranmanif.org/index.php/droits-de-lhomme/5053-47-executions-pour-le-mois-de-novembre-en-iran

perpétrés par les narcotrafiquants latino-américains ou par l'extrême-droite américaine ou européenne...

Dans tous les cas, même lors des attaques de Tchétchènes contre des écoles ou le métro de Moscou, la revendication était la source de publicité privilégiée.

Au tournant du siècle, on note une autre tendance, principalement après l'attentat des tours jumelles de New York. Malgré un retard intrigant dans la réclamation de la paternité de l'attentat le plus spectaculaire de l'Histoire, il faudra attendre encore quelques semaines pour qu'apparaissent les premières tirades des grands patrons d'Al Qaïda.

Ces derniers, de vieux routiers du terrorisme, commencent à utiliser, assez timidement quand même, le Web pour lancer leurs messages qui prennent souvent l'allure de sermons proférés par de vieux excités.

La méthode est simple, mais elle a l'avantage, encore une fois, d'être efficace grâce à la toute-puissance des médias internationaux et, surtout, grâce à la mentalité de concurrence enragée qui y règne. Pour avoir travaillé dans des salles de rédaction sur plusieurs continents, après réflexion, force m'a été de constater qu'il n'y a qu'une règle qui se démarque : être le premier, quitte à faire une erreur. Il était donc hors de question pour les salles de rédaction d'Occident de se laisser damer le pion par une station comme Al-Jazirah. Ou, pire, de se laisser doubler par la concurrence locale. Il est impensable pour la direction d'un journal, d'une agence, d'une station de télévision ou de radio de penser que son concurrent aura une nouvelle qu'on n'aura pas. Surtout si elle est à portée de main.

C'est ainsi que les messages d'Oussama ben Laden et de sa clique ont cheminé jusque dans nos foyers...

Certes, ces gens n'avaient plus le lustre du titre de « combattants de la liberté » que leur avait donné le président Ronald Reagan. Cependant, leurs actions et leurs messages faisaient leur effet et réveillaient des ferveurs musulmanes prêtes au combat.

Rappelons cependant une chose : dans les discours d'Al-Qaïda, c'était les patrons de la cause qui parlaient. C'était eux que l'on voyait. Ce n'est plus ainsi.

DAESH CHANGE LES CHOSES

« Allah nous a ordonné d'établir Sa religion sur la terre par Sa parole : Il vous a légué en matière de religion ce qu'Il avait enjoint à Noé, ce que Nous t'avons révélé, ainsi que ce que Nous avons enjoint à Abraham, à Moïse et à Jésus : "Établissez la religion et n'en faites pas un sujet de divisions" » (ach-Chûrâ : 13).

On peut dire que c'est le credo de Daesh.

Tiré du Coran, cet enseignement est le message principal qu'on livre aux sympathisants et à ceux qui voudraient appuyer la cause. Les patrons de Daesh ont compris que ce message n'a pas de frontière. Assez curieusement, leurs ennemis leur donnent raison. En janvier, après l'exécution en Arabie Saoudite du cheikh chiite Nimr al-Nimr, de nombreuses manifestations ont eu lieu à Bagdad, en Irak. Un des manifestants, Mohammed al-Mandalawi, disait aux reporters du *Figaro* et de l'AFP que *« lorsqu'il s'agit de religion, il n'y a pas de frontières »*, rejoignant en cela la vision de Daesh.

Mais comment ce groupe terroriste fait-il pour véhiculer son message intégriste ?

La machine de propagande du mouvement est équivalente à une grosse maison de production multidisciplinaire, en ce sens qu'on publie des magazines, on y tourne des films, on réalise des émissions de télévision et on diffuse le tout en demandant, en plus, à des militants soigneusement choisis (bien que, dans certains cas, de jeunes militants agissent de leur propre chef) de répandre la bonne parole.

Au début, quand Daesh ne portait que le nom de EIIL (État Islamique d'Irak et du Levant), ses campagnes de communication étaient montées par al-Furqan Media qui ne diffusait alors qu'en arabe. Depuis que le califat s'est constitué, les structures se sont modifiées pour former une machine de propagande difficile à contrer et impossible à ignorer. Le tout accompagné d'une vision bien précise du rôle des journalistes et des médias sur son territoire. Après tout, il faut bien commencer quelque part.

Reporters sans frontières, qui a publié début 2016 le dossier « Le Djihad contre les journalistes », signale que les journalistes qui vivent sur le territoire du califat doivent se soumettre à des règles précises: le premier commandement « *consiste à prêter allégeance au calife. Un autre "commandement" leur interdit de travailler pour des chaînes "luttant contre les pays islamiques". Ils ne peuvent publier un article sans avoir obtenu d'abord l'assentiment du "service de presse" de l'État islamique. Enfin, tout écart de conduite sera sanctionné, le journaliste fautif étant " tenu pour responsable"* ».

Toujours selon Reporters sans frontières « *la politique de Daech envers les médias comporte deux axes. D'une part la propagande, menée à coup de vidéos léchées – grues de travelling à l'appui – réalisées par les "brigades médiatiques": des professionnels rompus au maniement de la caméra, payés jusqu'à sept fois plus que les fantassins de base, qui bénéficient même d'une voiture de fonction. D'autre part, la répression: arrestations, kidnappings, exécutions sommaires, assassinats. Ainsi du photojournaliste irakien Jala'a Adnan Al-Abadi. Sans ressources et avec le sentiment que son devoir était de continuer d'informer sur la façon dont Daech traitait la population civile (crucifixions, décapitations, tortures), il est revenu à Mossoul après s'être enfui. Pour se faire arrêter peu après. Apparemment, il a été exécuté dès son arrivée dans un centre de détention. Comme Naji Jerf, ce documentariste soutenu par RSF, assassiné le 27 décembre à Gaziantep au sud de la Turquie alors qu'il s'apprêtait à rejoindre la France avec sa famille.* »

L'organisme maintient que la base de la propagande de Daesh est composée par des journalistes expérimentés « *regroupés dans des "brigades médiatiques"* ».

« *Les photographes, cameramen et reporters de Daech sont des cadres importants sinon essentiels dans le fonctionnement du "califat"*[66]. »

Le journaliste Edouard de Mareschal, du journal *Le Figaro* ajoutait : « *La plupart d'entre eux ont déjà une expérience dans le domaine antérieure à leur recrutement, qu'ils soient anciens journalistes, vidéastes amateurs ou bons connaisseurs des forums et réseaux sociaux. Après une formation au maniement des armes, ils intègrent les unités combattantes, mais bénéficient de nombreux privilèges, matériels ou financiers*[67]. »

Ils ne paient pas d'impôt et ont un traitement semblable à celui des apparatchiks de l'ancien régime soviétique, c'est-à-dire qu'on leur accorde l'occupation de résidences confortables et même des voitures de fonction.

« *Le traitement des plus expérimentés s'apparente à celui des "émirs", les officiers supérieurs de Daech. Ils sont donc traités comme des cibles militaires par la coalition internationale, qui a déjà tué certains d'entre eux dans des frappes ciblées* », indique encore le journaliste du Figaro[68].

Tous ces gens ont pour mandat d'alimenter cinq chaînes de télévision de Mossoul et une chaîne de radio, Al

---

66 http://fr.rsf.org/syrie-un-an-apres-charlie-rsf-publie-son-04-01-2016,48702.html

67 *Le Figaro*, 5 janvier 2016.

68 *Le Figaro*, 5 janvier 2016.

Bayan, ainsi que deux autres chaînes de télévision à Raqqa et le magazine *Dabiq* qui est imprimé et diffusé en différentes langues. Autrement dit, on fonctionne en « convergence », les groupes de télédiffusion, de radiodiffusion, de publication et de traduction ayant tous à chanter la même chanson à leur façon.

« *Le dernier rapport du think tank britannique Quilliam, spécialiste du contre-terrorisme, identifie la "Fondation Base" comme le centre de commandement des médias de l'État islamique. Sept branches médiatiques en sont issues, chacune ayant sa propre spécialité entre la vidéo, le texte, les photos, la radio ou les traductions. Ce sont les fondations al-Furqan, al-Itisam, al-Himma, ajnad, la radio al-Bayan, al-Hayat Media Center et l'agence A'maq. Cette dernière agence, probablement basée à Raqqa, compile des informations en provenance de trente-huit "bureaux" à travers le monde (en Syrie, Irak, Afghanistan, Afrique de l'Ouest ou encore dans le Caucase, en Algérie, Égypte, Yémen, Libye, Tunisie, Arabie Saoudite... détaille RSF.) L'organisation serait chapeautée par Abou Mohammed Al-Adnani, principal porte-parole du califat et parfois présenté comme l'un des "cerveaux" des attentats du 13 novembre 2015 à Paris*[69]. »

Le *Washington Post* a enquêté sur cet aspect de la machine de guerre de Daesh en se rendant à Rabat, au Maroc, pour y rencontrer Abou Hajer al-Maghribi, un cameraman qui a travaillé pour le califat et qui l'a depuis renié comme quelques autres de ses compagnons, déçus.

« *On nous remettait un papier avec le nom de l'endroit où il fallait se rendre. Rien de plus* », *disait-il en entrevue.* « *Parfois, il fallait filmer les prières à la mosquée ou des échanges de tirs de la part de militants.* »

---

69 Idem.

Sa « carrière » de cameraman pour le califat a pris fin quand on lui a ordonné, ainsi qu'à dix de ses collègues, de filmer l'exécution de 160 soldats syriens capturés en 2014. Ce qui l'a gêné dans cette opération n'est pas tant le fait qu'on ait exécuté ces hommes... C'est qu'on a ordonné aux prisonniers de se dévêtir, ce qui, selon lui, est une « indignité » et une offense à l'Islam. Que les soldats aient dû se mettre à genoux et se laisser massacrer par le tir de fusils d'assaut indiffère ce Marocain d'origine. Après tout, c'étaient des soldats syriens membres de la tribu du président Bachar al-Assad.

Les images ont ensuite été assemblées et le montage ainsi fait, diffusé par les télévisions islamistes.

Le tout a été évidemment récupéré par les télévisions étrangères et des messages ont été lancés sur les médias sociaux.

COMME AU CINÉMA

Les journalistes Greg Miller et Souad Mekhennet qui ont réalisé l'enquête pour le *Washington Post* – ils ont rencontré une douzaine d'anciens membres des brigades de propagande – expliquent encore que ce qui semble plus fou que tout, c'est que les exécutions et même les combats sont scénarisés.

En fait, a précisé leur interlocuteur marocain, il y a même des possibilités de faire plusieurs prises et quand il y a de nombreux cameramen, chacun a une assignation quant à l'emplacement qu'il doit occuper afin d'avoir une scène différente de celles de ses collègues.

Militant djihadiste depuis une dizaine d'années avant qu'il ne se rende en Syrie, Abou Hajer avait fait ses preuves sur les forums islamistes dès l'invasion de l'Irak par la coalition dirigée par les Américains en 2003. Cette démarche lui permit de gagner des galons, de sorte qu'il put procéder au recrutement d'autres éléments avant d'être invité à se rendre en Syrie où il suivit un entraînement militaire de deux mois avant d'être confié à une brigade médiatique où on lui apprit à filmer, à faire du montage et à bien « placer » sa voix lors d'entrevues...

Interrogé à savoir s'il avait songé à refuser de filmer l'exécution des soldats syriens, il se contenta de répondre : « Tu ne veux pas faire ça, mais tu sais que tu n'as pas le choix[70]. »

IMAGES MODERNES POUR VALEURS PASSÉISTES

Le phénomène Daesh est tellement fort qu'un Tech Tank américain a demandé au spécialiste Javier Lesaca de se pencher sur la question. Son constat est sans appel : Daesh est le phénomène médiatique le plus important du début de ce siècle et on peut constater que ce groupe *« a établi une nouvelle forme de terrorisme, en utilisant des techniques propres au marketing et des outils de communication afin de rendre la terreur populaire, imitable et désirable. Il ne s'agit plus de socialiser la terreur auprès de l'opinion publique comme le faisaient auparavant les groupes terroristes. Il faut vraiment penser à la marchandisation du terrorisme*[71]. »

Il est donc normal, poursuit le spécialiste, que même les Nations Unies s'inquiètent en constatant que, de mi-2014 à mi-2015, il y a eu une augmentation de 70 % des candidats à l'action terroriste.

Le problème, précise Lesaca, c'est qu'il n'y a pas d'explication simple et unique pour comprendre l'attirance que les jeunes gens peuvent avoir pour ce type d'action. Ce qui est certain, ajoute-t-il du même souffle, c'est que le califat a adopté une stratégie sans précédent en élaborant et diffu-

---

70 *Washington Post*, 20 novembre 2015.

71 http://www.brookings.edu/blogs/techtank/posts/2015/09/24-isis-social-media-engagement

sant une campagne audio-visuelle basée sur des images d'une importance et d'une résonance avérées pour les publics visés.

Ainsi, dit encore le chercheur, de janvier 2014 à septembre 2015, Daesh a diffusé 845 messages audiovisuels et, selon l'institut Brookings, on sait par ailleurs que les militants et supporteurs de Daesh possédaient à l'époque au moins 46 000 comptes Twitter, ce qui leur permettait évidemment de relayer à leurs sympathisants les messages que la presse conventionnelle aurait pu oublier ou négliger.

À cela, continue Lesaca, il faut ajouter que 15 % de ces films s'inspiraient directement de films commerciaux, de vidéos ou de clips de la culture populaire. Selon lui, des films comme *La Matrice, American Sniper, V pour Vendetta* ou des jeux vidéo comme *Call of Duty, Mortal Combat X* et *Grand Theft Auto* avaient été des sources d'inspiration pour les vidéastes de Daesh.

*Le groupe terr*oriste, poursuit le spécialiste, a été capable de transformer dans ses productions les victimes du terrorisme en autant d'acteurs de produits culturels occidentaux populaires.

En plus, Daesh vise ses cibles, systématiquement.

L'organisation, renchérit Lesaca, a créé 29 groupes de productions. « *Trois d'entre eux, Al Furqan, Al Ittissam et Al Hayat, s'adressent à la planète en général. Les 26 autres groupes de production ont des cibles culturelles précises pour des régions où Daesh est implantée, comme la Syrie, l'Irak, la Lybie, le Yémen, l'Afrique de l'Ouest et l'Afghanistan.* »

L'État islamique (ou le califat) a aussi, pendant cette même période, mis sur pied 120 campagnes qui s'adressent aux ressortissants provenant des pays occidentaux.

« *Pour la première fois dans l'histoire moderne, note l'expert, un groupe terroriste s'adresse directement à ses audiences cibles sur une base quotidienne, dans leur propre langue et dans leur propre langage culturel.* »

Quelques semaines plus tard, un texte de l'Agence France-Presse empruntait la même direction.

« Le groupe État islamique (EI) a créé sur Internet un "califat virtuel", fruit d'une machine de propagande élaborée et très efficace, que rien ne vient pour l'instant contrecarrer, assure dans un rapport le groupe de réflexion britannique Quilliam, spécialisé dans la déradicalisation. Pour cette enquête, publiée mardi, une équipe dirigée par le chercheur Charlie Winter de la Quilliam Foundation a enregistré, du 17 juillet au 15 août, tout ce qu'EI a mis en ligne via ses unités de production et de communication. Le résultat est, selon lui, éloquent : 1146 entrées sur Internet (essentiellement via les réseaux sociaux) ont été enregistrées, soit plus de 38 par jour, que ce soient des photos, des vidéos, des articles ou des enregistrements audio.

« "Cette opération de propagande est sans rivale", assure Haras Rafiq, directeur de Quilliam. "Elle implique des équipes dédiées qui, de l'Afrique de l'Ouest à l'Afghanistan, travaillent sans relâche, nuit et jour, à la production et la dissémination de la marque "califat".

« La traduction, le classement et l'étude de ces 1146 entrées ont permis de constater que, si la violence et les combats sont largement documentés, plus de la moitié des documents postés par EI ont pour but de décrire, sous un jour flatteur, la vie quotidienne dans les régions que contrôle EI en Syrie et en Irak, afin d'attirer des volontaires du monde entier.

« Les images d'ultraviolence sont toujours présentes mais semblent désormais surtout destinées à "intimider les populations, afin de décourager les velléités de rébellion et de dissidence", ajoute le rapport.

« "La quantité, la qualité et la variété de la propagande de l'État islamique au cours de ce seul mois dépassent de loin la quantité, la qualité et la variété des tentatives, par

les acteurs étatiques et non étatiques, menées pour tenter de la contrecarrer", indique le rapport. *"Tous les efforts en cours doivent être largement accrus pour espérer progresser dans ce sens."* [72] »

Gagner le cœur des jeunes générations partout sur cette planète en utilisant les technologies de communication les plus modernes n'est pas un luxe dont nos sociétés peuvent se passer, désormais.

Autrement dit, Daesh utilise efficacement les armes de ses ennemis... Ou encore, en résumé, Daesh utilise des technologies modernes pour vendre, avec succès, des valeurs passéistes.

Les publications (magazines) du groupe terroriste sont aussi très bien faites et peuvent confondre plus d'un lecteur, tant la forme s'apparente à celle des magazines occidentaux connus. Finie l'époque où les numéros en langue étrangère (comme l'anglais, le français, le russe ou le turc) étaient truffés de fautes d'orthographe et de grammaire. Daesh livre maintenant des produits de qualité comparable à ce que l'on retrouve communément sur le marché.

Le tout, évidemment, fait par des spécialistes du domaine qui n'ont qu'un seul ordre: recruter.

« *L'objectif principal de ces magazines, c'est le recrutement. Ils ciblent les pays les plus stratégiques à l'international: les pays francophones (France, Belgique, pays d'Afrique), la Russie, la Turquie* », résume l'expert en communication Mathieu Slama[73].

---

72 Agence France Presse, 7 octobre 2015.

73 *Le Figaro*, 2 décembre 2015.

QUI VISE CETTE CAMPAGNE DE RECRUTEMENT? La réponse vient peut-être de Quantum Communications, une firme installée au Liban.

Les chercheurs de ce groupe ont analysé les entrevues télévisées données par 49 combattants en Syrie et en Irak. Leurs déclarations ont été scrutées à la lumière de la grille d'analyse de la psychologue canadienne Marisa Zavalonni, qui permet de connaître les motivations et caractéristiques personnelles de chacun des sujets[74].

Bien que les gens de Quantum admettent qu'il s'agit d'un petit échantillonnage, notamment dans le contexte des combats de l'État islamique, ils soutiennent néanmoins que le portrait ainsi obtenu est intéressant, à tel point que l'assistant secrétaire à la Défense pour les opérations spéciales (États-Unis d'Amérique) en a présenté les résultats au Congrès.

Avalisés par le professeur Arie W. Kruglanski de l'Université du Maryland et par un chercheur sénior de la Rand Corporation, Paul Davis, les sites américains « Government Executive » et « Defense One » affirmaient que Quantum avait divisé les combattants islamistes en neuf catégories:

Les chercheurs de statut: il s'agit de ceux qui veulent « élever » leur statut social. Ils sont tout d'abord motivés par l'argent et par la reconnaissance qu'on peut leur accorder.

Les chercheurs d'identité: généralement seuls ou isolés, ces individus « se sentent souvent étrangers à leur environnement d'origine et tentent de s'identifier à un autre groupe ». Pour plusieurs, l'Islam procure une identité transnationale rassurante.

Ceux qui veulent se venger: il s'agit de personnes qui se considèrent comme appartenant à un groupe victime des répressions occidentales ou de quelqu'un d'autre.

---

74 http://www.govexec.com/defense/2015/12/heres-why-people-join-isis/124300/?oref=d-dontmiss

Ceux qui veulent faire pardonner leurs péchés : ils ont rejoint les rangs de Daesh pour se donner de la valeur à leurs propres yeux ou pour racheter leurs péchés.

Les responsables : ceux qui ont joint les rangs de Daesh pour apporter aide et support financier à leurs familles.

Les aventuriers : ils ont joint Daesh par goût du risque.

Les idéologues : ils veulent imposer leur point de vue sur l'Islam.

Les justiciers : Ils répondent à ce qu'ils considèrent être une injustice. Le rapport mentionne qu'ils cessent leurs activités quand ils ne perçoivent plus l'injustice. Ils n'ont alors plus de raison d'être.

Les suicidaires : Ceux qui ont vécu des drames importants dans leur vie et pour qui la mort est une perspective acceptable qu'il vaut mieux envisager en tant que martyr plutôt qu'en tant qu'individu qui s'est suicidé.

L'étude de Quantum indique aussi que ces neuf personnalités ne sont pas représentées de façon égale dans l'analyse. Voici, plus précisément, les raisons pour lesquelles les extrémistes islamistes se battent :

Pourquoi les extrémistes violents se battent

Voici, selon l'étude de Quantum, les raisons évoquées par 49 djihadistes pour justifier leur combat.

Défendre les sunnites	15
Le Djihad	14
L'environnement radical	11
L'appartenance à l'Islam	8
La guerre en Syrie	8
L'argent	8
Anciens prisonniers	5
Rejet de l'Occident	4

George LeVines- Defense One.
Com DATA : Quantum Communications

Chose certaine, l'administration Obama n'est pas insensible aux discours de propagande orchestrés par le califat. Le site Defense One (le nom dit bien ce qu'il veut dire) ajoutait : « *En ce qui concerne la lutte à l'État Islamique (Daesh), le président (Obama) a dit : "Nous travaillons de pair avec la majorité des pays musulmans et avec les communautés musulmanes de notre pays afin de contrer le message vicieux que propage sur la toile l'État Islamique."* »

Autre signe que la propagande de ce groupe terroriste est efficace : le gouvernement américain s'est doté d'une loi, le National Defense Authorization Act (NDAA), qui accorde des pouvoirs accrus au ministère de la Défense.

« *Le secrétaire à la Défense devra développer des concepts souples, créatifs et agiles en matière technologique et mettre au point des stratégies dans tous les médias disponibles afin de rejoindre la plus grande audience possible pour contrer et réduire les capacités de l'adversaire ou des adversaires potentiels à persuader, inspirer et recruter (des candidats) dans les zones de conflits ou dans toute zone susceptible d'apporter de l'aide aux dirigeants (de l'État islamique).* »

Certaines entreprises privées seront donc mises à contribution pour aider le commandant des opérations spéciales Joseph L. Votel à mener cette lutte, lui qui affirmait qu'il y avait une faiblesse « organique » pour endiguer la propagande du califat[75].

BEAUCOUP DE TRAVAIL

Le général Votel n'est cependant pas au bout de ses peines…

Il devra tout d'abord lutter contre les réflexes médiatiques. Si on peut penser que le patriotisme jouera un rôle sérieux dans tout cet engrenage aux États-Unis, il en va tout autrement de l'Europe, de la Russie et, dans une certaine mesure, du Canada, puisque les médias locaux ne sont pas totalement inféodés aux politiques de la Maison-Blanche.

Comme il a déjà été dit, les médias ont le réflexe primaire « de ne pas se faire avoir » et la loi du « scoop » est toujours celle qui prime, à tort ou à raison.

Tant que Daesh sera en mesure de diffuser sur son propre territoire ou de publier et distribuer ses magazines, les efforts pour faire échec à cette propagande seront vains, et ce, à cause, précisément, des réflexes des médias occidentaux. En plus, les médias, même parmi les plus importants, font parfois preuve d'une légèreté inquiétante. C'est le cas, par exemple, de cette carte du territoire que « voulait » conquérir le califat.

---

75 http://www.govexec.com/defense/2015/12/heres-why-people-join-isis/124300/?oref=d-dontmiss

« Elle a fait grande impression et a largement circulé sur Internet, alimentant toutes les frayeurs. Des sites d'information (comme ABC News et le Daily Mail) l'ont reprise sans en questionner l'origine, ajoutant même qu'il s'agissait d'une "carte montrant leurs plans pour les cinq prochaines années". L'information a aussi largement tourné sur Twitter[76]*. »*

Le problème, c'est que cette carte n'émanait pas officiellement de Daesh...

« "C'est une vieille image publiée par des partisans du groupe", a remarqué, auprès de Quartz, Aaron Zelin, de l'Institut des politiques au Proche-Orient, basé à Washington, et auteur du blog Jihadology.net, qui analyse le matériel produit par les mouvements islamistes[77]*. »*

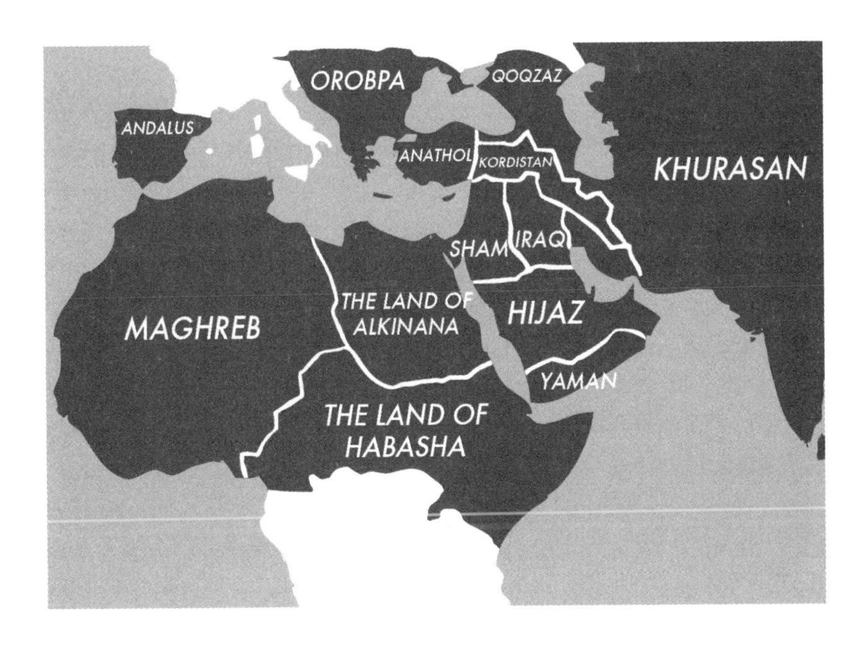

76 http://www.slate.fr/story/89319/eiil-carte-plan-faux

77 http://www.slate.fr/story/89319/eiil-carte-plan-faux

À cela, il faut ajouter la note technologique. Partout sur cette planète, il est possible d'acheter des armes de guerre, sans trop de problèmes. Pourquoi en serait-il autrement des communications satellitaires ou par Internet ? Si on peut acheter un fusil d'assaut comme un simple jouet, il est possible de penser que l'accès à Internet ou à la diffusion de masse ne pose pas trop de problèmes.

Et, en cette matière, le gouvernement de Washington a beau être encore très puissant, il n'en demeure pas moins que l'empire ne peut se permettre de couper les communications. Ce serait tout d'abord très contre-productif (on n'a qu'à songer aux échanges commerciaux) et Washington se trouverait aux prises avec un problème majeur émanant de son propre territoire: personne en Amérique ne veut que ses communications soient coupées. Pas plus qu'en Europe ou en Asie.

Dans ce sens, il faut en arriver à une conclusion: si on peut s'acheter des armes comme des jouets, on doit être en mesure de trouver un fournisseur Internet pirate quelque part.

La journaliste Amaëlle Guiton, du quotidien *Libération*, en France, s'est penchée sur cette question en décembre 2015.

Citant le site du journal allemand *Der Spiegel*, elle écrit: « *Qui fournit Internet au groupe État islamique ? Alors que les gouvernements en appellent plus que jamais aux grandes plateformes du Web pour contrer la propagande djihadiste, la question a été mise en avant, le week-end dernier, par une enquête du Spiegel Online. Laquelle, citant des sources syriennes, explique comment, "pour opérer dans une région où les infrastructures de télécommunications ont été largement détruites", l'organisation terroriste utilise l'accès à Internet par satellite. Si le coût des communications est élevé, l'équipement nécessaire pour se connecter — parabole et box — est, lui, d'un accès facile dans les pays environnants. Et notamment dans les villes turques situées non loin de la frontière avec la Syrie, telles Gaziantep ou Antakya (Antioche)*[78]. »

Dans le cadre de cette enquête, on apprenait que les fournisseurs de services Internet sont « le Français EutelSat (détenu à 26 % par la Caisse des dépôts du Québec), le Luxembourgeois SES et le Britannique Avanti Communications. »

Donc des alliés qui seront sûrement sollicités pour participer à la lutte antipropagande qu'entend mener Washington. Le problème, c'est que les fournisseurs de services souffrent déjà d'amnésie et ne semblent plus se souvenir de qui fait quoi pour eux dans la région où sévit Daesh.

« EutelSat, par exemple, indique que ses terminaux ne sont pas équipés d'émetteurs GPS. Mais "quand un nouveau client installe un équipement, il doit fournir ses coordonnées GPS par courriel, sinon il ne recevra pas de signal clair, voire pas de signal du tout, explique Nicolai Kwasniewski, le journaliste du Spiegel auteur de l'enquête. Si quelqu'un envoie des coordonnées d'une ville en Turquie, puis déplace l'équipement, il ne recevra plus le signal."

« Du côté de SES, on fait état de terminaux qui sont à la fois émetteurs et récepteurs : il est dès lors techniquement possible de localiser les équipements. Mais l'entreprise luxembourgeoise assure n'avoir aujourd'hui "pas connaissance que ses satellites sont utilisés par l'EI ou dans des zones syriennes contrôlées par l'EI. Si SES avait confirmation d'une telle utilisation, nous mettrions tout en œuvre pour y mettre fin." "Il n'y a pas de terminaux activés en Syrie à notre connaissance", indique pour sa part EutelSat. Reste que, sur la base de données GPS qu'il a obtenues, le Spiegel a localisé des équipements satellitaires dans des zones sous contrôle d'EI, notamment Raqqa, Deir el-Zor et al-Bab en Syrie, ou

---

78 *Libération*, 10 décembre 2015.

Mossoul en Irak, zones dans lesquelles le groupe terroriste surveille de très près l'accès au réseau[79]. »

EFFET PERVERS

Il est, techniquement, possible de couper l'accès à Internet à toute cette région. Le problème, c'est que ce ne serait pas sans conséquence.

« *En tout état de cause, une telle option aurait d'autres conséquences que celle de tarir mécaniquement la propagande du groupe EI.*

« *Internet permet aux civils de Raqqa de donner des nouvelles à leurs proches depuis les cybercafés, mais aussi, rappelle le journaliste Jean-Marc Manach, aux militants du réseau Raqqa Is Being Slaughtered Silently ("Raqqa se fait massacrer en silence") de faire sortir de la ville, au péril de leur vie, des informations sur les exactions du groupe EI, ou à des familles de tenter de faire revenir des jeunes djihadistes partis sur le théâtre irako-syrien. Et les communications sont une source d'informations pour les services de renseignements*[80]. »

Notons également que le gouvernement irakien, dès 2014, a bloqué l'accès à Internet à plusieurs sites de Daesh, tout comme des comptes Twitter et Facebook ont aussi été bloqués. Visiblement, il n'a pas été trop difficile pour Daesh de contourner ces obstacles.

Autre point de vue, émanant cette fois du territoire américain. Une mise en garde quant à l'intervention technologique.

« *Nous voyons beaucoup de pression à la fois en Europe et aux États-Unis, des responsables politiques appelant les entreprises à faire davantage, mais ce serait assorti de*

---

79 Idem.

80 Idem.

beaucoup de conséquences pour les libertés individuelles », prévient Emma Llanso, experte du Center for Democracy and Technology à Washington[81].

Certains policiers et politiciens croient cependant en cette solution et en arrivent même à penser qu'il n'y a pas d'autre choix.

« *L'utilisation à grande échelle d'Internet par les djihadistes inquiète, en particulier le groupe EI et ses "campagnes sur les réseaux sociaux qui peuvent devenir virales", soulignait mercredi James Comey, directeur du FBI.*

« *"Nous sommes dans une ère nouvelle, où des groupes terroristes comme [le groupe] EI utilisent les réseaux sociaux pour réinventer comment ils recrutent et planifient des attaques", insiste la sénatrice démocrate Dianne Feinstein, co-auteure mardi d'un projet de loi qui obligerait les entreprises technologiques à informer les autorités quand elles ont connaissance d'activités terroristes*[82]. »

Cette loi a une portée tellement large qu'elle fait peur, surtout aux manitous des réseaux sociaux qui ont déjà mis sur pied des boucliers pour endiguer l'invasion terroriste.

« *Les terroristes, leur propagande et ceux qui en font l'apologie n'ont pas leur place sur Facebook, dont les règles d'utilisation "bannissent explicitement tout contenu pro-terroriste", affirme Monika Bickert, directrice chargée de la gestion des contenus. Même discours chez Twitter, qui dit avoir "des équipes autour du monde qui enquêtent activement sur les rapports de violations des règles, et travaillent avec les autorités quand c'est approprié."* »

---

81 Sophie Estienne, AFP San Francisco, 14 décembre 2015.

82 Sophie Estienne, AFP San Francisco, 14 décembre 2015.

« “YouTube rejette le terrorisme et a un bilan solide de prises d’action rapides contre les contenus terroristes”, renchérit un porte-parole de la filiale de Google/Alphabet.

« “Tous se reposent sur le signalement par leurs utilisateurs des contenus litigieux, ensuite examinés par des équipes qui décident s’il faut les retirer, voire fermer le compte. Si nous trouvons des contenus ou des comptes pro-terroristes, nos équipes utilisent des outils dédiés pour détecter d’autres comptes associés”, précise Monika Bickert[83]*. »*

On entend un discours similaire en Europe...

Si de telles lois devaient être imposées, les terroristes auraient marqué un point supplémentaire. Après avoir fait suer le monde entier en forçant les gouvernements à imposer dans les aéroports des mesures de sécurité impensables il y a à peine vingt ans, ils seraient parvenus à nous imposer un contrôle supplémentaire, celui de nos communications privées, publiques ou d’affaires, comme si les contrôles déjà existants étaient insuffisants.

Mais comme pour les aéroports, tout le monde s’habituera...

Il ne faut pas non plus perdre de vue des positions comme celle de Noam Chomsky qui s’est longtemps penché sur le travail des médias.

« Les médias sont en symbiose avec de puissantes sources d’information pour des raisons économiques et du fait d’intérêts partagés. Ils ont impérativement besoin d’un flux continu et stable d’information brute. Ils sont confrontés à une demande d’information quotidienne et à une grille horaire qu’ils doivent remplir. Pour autant, ils ne peuvent se payer le luxe de maintenir en permanence reporters et caméras partout où un événement important peut se produire. Les limites de leurs budgets leur imposent donc de concentrer

83 Idem.

leurs moyens là où les événements significatifs sont les plus fréquents, où abondent fuites et rumeurs, et où se tiennent régulièrement des conférences de presse.

DES SOURCES OFFICIELLES

« La Maison-Blanche, le Pentagone, et le département d'État à Washington sont des épicentres de ce type d'activités. Au niveau local, la mairie et le siège de la police jouent le même rôle. Les grandes entreprises et sociétés commerciales sont également des producteurs réguliers et crédibles d'informations jugées dignes d'être publiées. Ces bureaucraties produisent en masse un matériel idéal pour alimenter la demande d'un flux régulier et planifié d'information, qui est celle des salles de rédaction: selon ce "principe d'affinité bureaucratique", seules d'autres bureaucraties peuvent satisfaire aux besoins d'une bureaucratie de l'information.

« ... Autre raison du poids considérable accordé aux sources officielles: les médias prétendent dispenser "objectivement" l'information. Afin de préserver cette image d'objectivité, mais surtout pour se mettre à l'abri de toute accusation de partialité et d'éventuelles poursuites pour diffamation, ils ont besoin de sources qui puissent être données comme a priori au-dessus de tout soupçon. C'est aussi une question de coût: tirer des informations de sources tenues pour crédibles réduit d'autant les frais d'enquêtes; tandis que les autres informations impliquent de minutieux recoupements et des recherches coûteuses. »

Méfiance, donc.

LA RÉALITÉ DÉPASSE LA FICTION

Le mot « terrorisme » apparaît pour la première fois dans le langage courant en France pendant la Révolution. Dérivé de cette période sombre qui a pour nom la Terreur où environ 500 000 personnes ont été emprisonnées et près de 100 000 ont été exécutées, guillotinées, fusillées ou victimes de divers massacres, il allait traverser le temps et parvenir jusqu'à nous, aujourd'hui traduit dans pratiquement toutes les langues.

Cependant, la forme du terrorisme n'a jamais cessé de se modifier et force est d'admettre que les actions des divers terroristes au cours des siècles, que l'on soit ou non d'accord avec eux, ont modifié l'histoire.

Le terrorisme devait aussi engendrer diverses pensées et positions politiques qui, si elles suscitent encore des débats, ne sont jamais parvenues à résorber l'utilisation de cette forme de combat ni même à prévoir les dérapages qui peuvent en découler.

Il n'en demeure pas moins que de grandes idées ont été héritées de cette horrible époque qu'a été la Terreur. L'acteur principal en était un avocat, Maximilien de Robespierre, qui fut lui-même décapité en 1794. Sans entrer dans les détails, parce que la Révolution française n'est pas notre propos, on peut quand même avancer que Robespierre a mis en place des éléments qui allaient susciter des analyses et des prises de position pendant les décennies à venir.

L'homme n'était sûrement pas de tout repos, de sorte qu'il n'y a pas unanimité parmi les historiens à son sujet. Voici ce qu'en dit l'encyclopédie libre : « *Robespierre est sans doute le personnage le plus controversé de la Révolution française. Ses détracteurs (les Thermidoriens, les fondateurs de la IIIe République et les partisans de l'historiographie anti-communiste dont le chef de file fut François Furet) soulignent son rôle dans l'instauration de la Terreur et la nature autoritaire du Comité de salut public. Pour d'autres, Robespierre tenta de limiter les excès de la Terreur, et fut avant tout un défenseur de la paix, un champion de la démocratie directe et de la justice sociale, un porte-parole des pauvres, et l'un des acteurs de la première abolition de l'esclavage en France. Ces historiens font remarquer que la chute de Robespierre, le 9 Thermidor, coïncide avec l'arrêt des mesures sociales qu'il avait prises en faveur des pauvres (la loi du maximum général par exemple, qui contrôlait le prix du pain et du grain), et le triomphe du libéralisme économique. En accord avec cette historiographie, on trouve notamment Albert Mathiez ou Henri Guillemin*[84]. »

Sans être historien, on peut soutenir que la Révolution française (et pas uniquement la Terreur) est à l'origine de plusieurs courants de pensée qui forceront des gens comme Karl Marx, Pierre-Joseph Proudhon, Max Stirner à développer leurs visions des structures sociales idéales. Nietzsche se joindra plus tard à ces penseurs.

Du côté américain, la Révolution prendra une tournure différente, mais des hommes comme John Adams, Thomas Jefferson et George Washington auront aussi fait progresser tout un faisceau d'idées sur le territoire de l'ancienne colonie britannique qu'on allait appeler les États-Unis d'Amérique… D'autres suivront, qui auront une influence immense dans le

84 https://fr.wikipedia.org/wiki/Maximilien_de_Robespierre

monde entier en répandant cette vision très « économique » voulant qu'on puisse faire ce que l'on veut si c'est pour son propre bien et celui des États-Unis. Évidemment, ce courant trouvera des échos soutenus dans le monde politique.

Cette pensée arrêtée aura pour résultat, autant en Amérique qu'en Europe (où le courant colonialiste est bien ancré), de donner naissance à une « terreur d'État » dont les citoyens, et particulièrement les ouvriers, feront les frais lors de conflits les opposant aux forces de l'ordre.

Mais cette position qui favorise l'élite fera également naître une nouvelle attitude sur les deux continents, même si l'Europe a, depuis 1870, la fâcheuse manie de se ruiner en conflits meurtriers générés – en apparence – sur une base idéologique.

La Première Guerre mondiale a été, en bonne partie, déclenchée par un acte terroriste : l'assassinat de l'archiduc François-Ferdinand par le jeune nationaliste bosniaque Gavrillo Princip.

Quant au génocide arménien, inutile d'entrer dans les détails pour savoir que des actes de terreur ont, là aussi, été commis.

La Russie soviétique deviendra, sous l'impulsion de Staline, l'Union soviétique afin de recréer une richesse perdue par la révolution qui a chassé les tsars et détruit leur empire. Et là aussi, lors de la « création » de l'Union, la terreur sera amplement utilisée.

En Allemagne, la montée d'Adolf Hitler, si elle est « justifiée » par un discours dogmatique, est d'abord et avant tout économique puisqu'il s'agit de renier la dette de guerre et de remettre sur pied la « Grande Allemagne ». Et pour assurer ses succès politiques, Hitler n'hésitera pas à recourir à la terreur, notamment dans les territoires conquis pendant la Seconde Guerre mondiale. On peut en dire autant de l'Italie...

Quant à la France et l'Angleterre, elles perdent de leur lustre à cette époque tandis que l'Espagne s'enlise dans ce qui sera finalement une répétition de la Seconde Guerre.

Malgré tout, en Europe, comme en Amérique, on maintient une pensée exclusive; on en viendra à dire (assez facilement d'ailleurs): « si vous n'êtes pas avec nous, vous êtes contre nous ». Autrement dit, on a décidé, vous n'avez qu'à vous adapter...

Cette vision, on le devine, ne pouvait apporter que des grincements de dents et susciter la grogne. Ce sera le cas dans les colonies, en Asie, en Afrique, en Amérique centrale et en Amérique du Sud.

Les États-Unis d'Amérique ont le vent dans les voiles, les règles d'affaires sont souples et on peut y faire fortune rapidement, voire sauvagement. On peut même se permettre de rapiner allègrement dans les pays voisins sans être importuné.

L'Europe a ses colonies où des règles assez semblables s'appliquent. Et tous ces gens ont un point commun: une puissance de feu colossale dont ils feront la démonstration aussitôt qu'ils en auront l'occasion, avec plus ou moins de succès au fur et à mesure que s'élève la résistance à leur vision.

LA MONTÉE DE LA RÉSISTANCE

Le XXe siècle sera celui de la sophistication de l'armement et des technologies. Encore aujourd'hui, nombre de citoyens au Québec se souviennent du laitier qui faisait sa tournée dans une carriole tirée par un cheval et laissait une pinte de lait à leur porte.

Ces gens ont vécu l'arrivée massive des voitures, la généralisation des voyages par avion, pendant que naîtront, entre autres, le téléphone, la télévision, la télévision en couleurs, les guichets automatiques, les téléphones portables et Internet.

Sur le plan militaire, il en est de même : le monde est passé des biplans aux B-52, aux Mig, au Rafale, et des vieilles carabines aux fusils d'assaut, sans oublier la bombe atomique, la bombe à neutrons, les bombes à têtes perforantes, les missiles à tête chercheuse avec, en prime, la course à la conquête de l'espace et la mise en place de tous ces satellites...

Quand même beaucoup pour une vie... et on peut croire que les prochains développements seront moins nombreux, à moins qu'on en arrive à la téléportation, ce qui serait tout de même une innovation majeure et révolutionnaire, surtout et principalement quand on parle commerce...

Parallèlement à ce déferlement technologique et militaire, une diffusion du savoir s'est installée.

Les États ne pouvaient pas vraiment se permettre de garder les populations qu'elles exploitaient dans une ignorance totale, d'autant plus que l'univers s'était polarisé : il y avait les « bons » Occidentaux et les « mauvais » Rouges.

La diabolisation du bloc soviétique (ce qu'on a appelé la guerre froide) a été efficace et est survenue à un moment où l'Union soviétique procédait à la reconstruction du pays, ce qui lui laissait un peu moins de temps et d'argent pour contrer les gestes de propagande et les actions des « alliés » qui ne ménageaient ni leurs efforts ni leur argent pour nuire aux Soviétiques qu'on avait fini par mettre dans le même sac que les nazis.

Cela dit, il ne faut pas croire que le bloc de l'Est est resté inactif. Loin de là. Et là aussi, la terreur était bien utilisée. Les services de renseignements de l'Est avaient des techniques différentes des services de l'Ouest, mais étaient tout aussi efficaces. En Occident, les services favorisaient une discrétion absolue. S'ils surveillaient quelqu'un, il fallait que cette personne soit bien habile pour deviner qu'elle était sous surveillance. À l'Est, c'était l'inverse : on faisait savoir de toutes les façons à une personne qu'elle était l'objet d'une attention soutenue. J'en parle à l'aise pour l'avoir vécu en tant que journaliste...

De part et d'autre, d'escarmouches en guerres souterraines, on a vu l'équilibre changer. La toute-puissance occidentale était tenue en échec en Europe centrale pendant que des forces nouvelles se débarrassaient des colonialistes européens en Asie et en Afrique. En Amérique centrale et dans les Antilles une paix convenue était maintenue en appuyant d'effrayants dictateurs. Seuls les Cubains constituaient des empêcheurs de tourner en rond, mais ils étaient dans le collimateur des services de renseignements états-uniens et, il faut le dire, soviétiques. L'Amérique du Sud, elle, somnolait encore, mais pas pour longtemps.

Donc, l'accès à l'information, après la Seconde Guerre mondiale, s'est fait aussi rapidement que le nettoyage des débris de la guerre. Et l'information, sans que personne ne s'en rende vraiment compte, s'est mise à circuler de plus en plus rapidement. Au point où, au fil du temps, disons au début des années 1980, la nouvelle brute s'est mise à supplanter les documents. On ne se contentait plus que de la nouvelle, en donnant des explications sommaires sur les sources d'un problème.

ISLAM RADICAL

C'est alors qu'en 1979, le monde constate le dépôt du chah d'Iran et son remplacement par l'ayatollah Khomeini.

La nouvelle n'est pas passée inaperçue, loin de là. Ce qu'on voyait à l'époque, c'était que les États-Unis venaient de perdre un autre allié et, avec la disparition du chah, une masse impressionnante d'armement venait de passer dans des mains qui avaient un agenda politique inconnu. Certes, on parlait du conservatisme de Khomeini comme on discutait du sort que les autorités chiites imposaient aux femmes. Et on blâmait l'obscurantisme du vieil homme qu'était déjà Khomeini.

Mais on n'a jamais vu qu'il incarnait la renaissance de l'islam traditionnel, ce qui allait déboucher sur un islamisme de combat tel qu'on le connaît aujourd'hui, généralisé malgré toutes les luttes intestines entre les diverses factions musulmanes.

Khomeini, c'est un début, mais, pour les États-Unis, c'est aussi un danger. Le pouvoir, c'est lui qui l'occupe. C'est lui, le Guide Suprême. Et sa nation est lourdement armée, grâce aux actions de la CIA et de l'armée américaine. Ce qui n'empêche pas le même gouvernement états-unien de former, d'armer et de financer, au même moment, des moudjahidines au Pakistan pour nuire aux soviétiques...

Mais par quel hasard Khomeini se retrouve-t-il à la tête de l'Iran, lui qui était en exil depuis de longues années ?

Il faut reculer une trentaine d'années en arrière pour comprendre. Dans les années 1950, donc.

À cette époque, l'Iran a un dirigeant nationaliste, Mohammad Mossadegh, et, sur le territoire iranien, une compagnie, l'Anglo-Iranian Oil Company(AIOC) qui exploite des puits et des installations pétrolifères.

Le gouvernement de Mossadegh demande alors à la compagnie de lui ouvrir ses livres, question de savoir s'il touche sa juste part du contrat signé avec AIOC. La compagnie refuse. Les pressions du gouvernement se font plus vives et le pourcentage des redevances réclamées pour le pétrole augmente jusqu'à atteindre 50 % des revenus.

La compagnie britannique ferme alors ses installations et se met à crier à l'injustice, chorale à laquelle se joint le gouvernement britannique. Le gouvernement iranien, de son côté, nationalise les installations pétrolifères.

« Le projet de nationalisation du pétrole est ratifié le 14 mars 1951 par le parlement iranien et 5 jours plus tard

par le Sénat. Cet événement est très populaire en Iran. La nationalisation, permettant à l'Iran de récupérer ses richesses propres, est perçue comme une solution aux problèmes économiques et sociaux et comme un moyen d'échapper aux menaces que font peser les puissances étrangères sur l'indépendance du pays[85]. »

Pour les Britanniques, il en va tout autrement, ce qu'ils s'empressent de signaler aux États-Unis en faisant remarquer que cette région est stratégique pour encadrer l'Union soviétique.

« *En Grande-Bretagne, la nationalisation est largement considérée comme une violation intolérable des termes du contrat, comme un vol*[86]. *Des émissaires britanniques aux États-Unis font savoir qu'autoriser l'Iran à nationaliser l'AIOC serait considéré "comme une victoire pour les Russes" et causerait "une perte d'une centaine de millions de livres par an pour le Royaume-Uni, affectant sérieusement notre programme de réarmement et le coût de la vie".* [87]»

Les Britanniques estiment que ce sont eux qui ont trouvé le pétrole, qui ont développé les technologies pour l'extraire, le transporter, le raffiner, etc., et que, conséquemment, tout cela leur appartient. Et puis, ils ont peur que ce geste ne soit répété dans d'autres pays où ils ont des intérêts.

Ils songent donc à intervenir militairement. Washington va tenter de calmer le jeu en proposant un prêt à Mossadegh pour qu'il puisse indemniser l'AIOC. Mais Mossadegh

---

85 Hélène Carrère d'Encausse, « *Le conflit anglo-iranien, 1951-1954* », *Revue française de science politique*, vol. 15e année, n° 4, 965, p. 731-743

86 https://fr.wikipedia.org/wiki/Crise_d %27Abadan

87 Kinzer, Stephen, *All the Shah's Men : An American Coup and the Roots of Middle East Terror*, Stephen Kinzer, John Wiley and Sons, 2003, p. 90.

refuse de négocier l'indemnisation et rompt les relations diplomatiques avec Londres, tout en critiquant les États-Unis. En plus, il se rapproche de l'URSS.

C'est alors que la CIA intervient avec l'opération TP-AJAX. Il s'agit d'éjecter Mossadegh et de le remplacer par le chah Mohammed Reza Pahlavi et ainsi protéger les intérêts occidentaux. Pour y arriver, on met en place, de toutes pièces, une guérilla.

« La CIA, organise une fausse manifestation du Tudeh (Parti communiste) à Téhéran, ses agents détruisent les symboles de la monarchie, attaquent des mosquées pour provoquer une riposte des monarchistes et de l'armée. Les objectifs sont atteints, Mossadegh est arrêté, le Shah est remis sur le trône, le général Zahedi est nommé premier ministre, et le Front national interdit. Mossadegh, jugé, emprisonné, puis assigné à résidence, meurt en 1967[88]. »

L'opération de la CIA, même si l'organisme a toujours nié qu'elle ait eu lieu, a été confirmée par la secrétaire d'État Madeleine Albright (administration de Bill Clinton) en 2000[89] et en 2009, par le président Barack Obama qui s'en excusera au nom de la nation américaine. « *En pleine guerre froide, les États-Unis ont joué un rôle dans le renversement d'un gouvernement iranien démocratiquement élu*[90]. »

Ce sera le premier succès de la CIA et, surtout, une opération peu coûteuse et rondement menée. L'année suivante, ce sera au tour du Guatemala…

Et l'Islam radical dans tout cela ?

---

88 https://fr.wikipedia.org/wiki/Operation_Ajax

89 « *U.S. Comes Clean About The Coup In Iran* »

90 http://www.lalibre.be/actu/international/obama-admet-l-implication-americaine-dans-le-coup-d-etat-de-1953-en-iran-51b8ab65e4b0de6db9b6e890

Nous y arrivons.

Le chah est un personnage impopulaire d'autant plus qu'il a laissé les Occidentaux refaire main basse sur toutes les matières premières du pays. Mais il y a aussi un religieux prestigieux qui lui en veut pour son modernisme : Ruhollah Al-Moussawi Al-Khomeini.

Khomeini, constatant le climat d'insécurité et d'oppression mis en place par le chah, s'engage dans l'opposition au régime dictatorial de Mohammad Reza. Il dénonce la « révolution blanche » qui désigne l'ensemble des réformes menées par le chah en vue de moderniser la société iranienne, incluant l'adoption du droit de vote des femmes.

« En 1962, il proteste ouvertement contre la torture et les emprisonnements dictés par le chah, dont le régime est vu comme garant des intérêts des États-Unis. Le 3 juin 1963, Khomeiny fait un discours historique contre la subordination du chah aux pouvoirs étrangers et dénonce son soutien à Israël.

« L'arrestation immédiate de l'Ayatollah provoque de violentes manifestations populaires. Celui-ci sera rapidement libéré par le Gouvernement devenu conscient de son influence. Reconnu comme "guide religieux suprême", Khomeiny devient l'un des chefs de la communauté chiite.

« En 1964, l'Ayatollah Khomeiny est expulsé d'Iran. Il part d'abord en Turquie, puis en Irak, à Nadjaf et à Kerbala, la ville sainte du chiisme, où son discours se radicalise davantage. Son activisme pro-chiite indispose le pouvoir irakien et en 1978, il part pour la France et s'installe à Neauphle-le-Château.

« Exilé, il systématise sa pensée autour d'une conviction selon laquelle la démocratie n'est pas un modèle adéquat pour l'Iran. Selon lui, c'est aux oulémas, héritiers du prophète, que revient l'autorité religieuse et politique. Aux

dignitaires religieux est reconnu le pouvoir de désigner le plus savant d'entre eux pour centraliser l'autorité.

« À la fin de l'année 1978, des manifestations violentes faisant plusieurs milliers de victimes poussent le chah à abdiquer et à fuir vers l'Égypte le 16 janvier 1979. Ce dernier mourra au Caire en juillet 1980[91]*. »*

Survient alors une étrange évolution de la société iranienne. La perception qu'on avait de ce pays avant l'arrivée au pouvoir du religieux était celle d'un État résolument moderne. Les choses changent vite sous la houlette de Khomeini qui a le contrôle absolu, même sur les militaires. « *Le Guide suprême de l'Iran détient la plus haute autorité. Il est responsable de la supervision des "politiques générale de la République islamique d'Iran". Il est commandant en chef des forces armées, contrôle le renseignement militaire et les opérations liées à la sécurité. Lui seul a le pouvoir de déclarer la guerre. Il est élu par l'Assemblée des Experts pour une durée illimitée (et potentiellement à vie)*[92]. »

Le régime de Khomeini sera marqué, aussi, par les débuts de « l'exportation » du djihad ou, si l'on veut, de la guerre sainte. Les exécutions rituelles sont aussi de retour.

« Peu de temps après son arrivée au pouvoir, Khomeiny lance une campagne pour "exporter" la révolution dans les pays musulmans environnants. Sa provocation à l'égard de l'Irak cumulée à sa prétention sur certaines régions pétrolifères de la région pousse le leader irakien Saddam Hussein à envahir l'Iran. La guerre qui s'ensuivra durera huit ans et ne se terminera qu'après que les États-Unis aient coulé des bateaux de guerre iraniens dans le Golfe persique. Khomeiny décrira la défaite comme "plus mortelle que du poison".

---

91 http://www.medea.be/fr/themes/biographie/jkl/ayatollah-khomeini/

92 Idem.

« La guerre terminée, Khomeiny ordonne l'exécution des prisonniers politiques. En l'espace de trois mois, plus de 30 000 prisonniers sont exécutés. Le successeur présumé de Khomeiny, l'Ayatollah Montazeri, proteste contre ce massacre et critique la détention du pouvoir politique par les clercs, ce qui lui vaut la disgrâce et l'assignation à résidence[93]. »

Ce conflit est le premier affrontement entre coreligionnaires. Il est certain que l'ayatollah Khomeini et Saddam ne peuvent partager la même vision religieuse, en admettant que Saddam en ait eu une. Après tout, le Baas, le parti qu'il dirigeait faisait la promotion d'un nationalisme et d'un socialisme arabe. Mais le pétrole était un objet de convoitise important pour les Occidentaux et une source de revenus importantes pour Saddam Hussein qui, lui, avait nationalisé la production.

Même si cette guerre a été horriblement coûteuse pour Hussein (l'Irak en sortira endetté à hauteur de 150 % de son produit intérieur brut) et que le prix du baril de pétrole chute, les velléités belliqueuses du dirigeant irakien ne cessent pas. En 1991, il s'en prend au Koweït qu'il décide d'envahir.

L'Irak soutient depuis 1960 que ce territoire lui appartient et, de plus, le Koweït aurait foré des puits de pétrole sur le territoire reconnu de l'Irak.

Ce n'est pas une bonne décision de la part de Hussein.

Une coalition de 34 États lui tombera sur le dos, avec la bénédiction des Nations Unies. Cette fois, la coalition, menée par les États-Unis, va forcer le dictateur à mettre un genou à terre. Son aviation est détruite, ses armes antiaériennes déjouées et les pertes sont élevées.

Encore une fois, personne ne semble voir clairement la situation ou personne n'écoute ceux qui sentent ce qui se passe.

93 Idem.

« Quant à l'arrivée d'un régime islamiste hostile aux Occidentaux, la faible influence de l'Iran et les bonnes relations en façade entre la République islamique du Pakistan et les États-Unis la rendent peu redoutée[94]. »

Bref, tout va bien dans l'univers musulman.

Déjà, on commence à constater l'étrange jeu des politiciens états-uniens qui se retrouvent alors, ponctuellement, du côté de Saddam Hussein au Moyen-Orient quand il s'agit de couler des bateaux iraniens et de Ben Laden en Afghanistan quand il s'agit d'en découdre avec les talibans dont personne ne sait plus quoi faire....

Personne ne le dit haut et fort, mais tout le monde le sait : l'enjeu de toutes ces batailles, de toutes ces tractations, c'est le pétrole. Et la lutte (quand même modeste et discrète) à une Russie dont on se méfie toujours, qui tente de se relever de l'agonie de l'Union soviétique.

Mais personne ne fait allusion à la montée en puissance de l'islamisme, de cette force stupéfiante motivée par une foi exceptionnelle, malgré les divergences des factions.

Comme le disait en substance Brezinski, le conseiller de Jimmy Carter, on n'allait quand même pas s'énerver pour quelques musulmans excités qui ne parviennent même pas à s'entendre entre eux...

Il ne se passera plus beaucoup de temps avant que les revendications politiques traditionnelles de ceux qu'on appelle « terroristes » ne deviennent chose du passé. Désormais, Allah va devenir la grande excuse.

Khomeini est mort en juin 1989. Tout le monde s'attendait à un adoucissement du régime. Ça n'a pas été le cas. Et pendant ce temps, auprès de cette puissance musulmane qu'est l'Iran, s'élevait une organisation, Al-Qaïda, qui allait,

94 https://fr.wikipedia.org/wiki/Guerre_du_Golfe

elle aussi, radicaliser son discours militaire et religieux, tout comme les talibans en Afghanistan.

Heureusement qu'ils ne s'entendent (et ne s'entendent) toujours pas entre eux.

LA DÉROUTE

Cependant, dans toute la joute militaro-diplomatique occidentale, un élément allait s'ajouter quelques années plus tard.

La frappe de 1991 de la coalition a laissé l'armée de Saddam Hussein exsangue et son complexe militaro-industriel détruit.

Les civils souffrent encore plus.

Et la lutte entre musulmans reprend de plus belle. La coalition avait incité les Kurdes et les chiites à se rebeller contre Saddam Hussein. Les deux groupes en paieront le prix et subiront des massacres. Hussein, après tout, était membre de la minorité sunnite.

Washington, après l'invasion de l'Irak, tentera en 2006 de ménager la chèvre et le chou en établissant un système électoral qui permettra le rétablissement de la « démocratie » réunissant un président kurde (Jalal Talabani), un vice-président sunnite (Tareq al-Hachemi) et un autre vice-président, chiite celui-là, (abdel Abdel-Mehdi).

Mais avant la tenue de cette élection, la situation était tout autre et le pays souffrait encore sérieusement des frappes de la coalition onusienne.

« Le rapport d'une mission de l'ONU, dirigée par le sous-secrétaire Martti Ahtisaari et envoyée en mars 1991 pour évaluer les besoins humanitaires de l'Irak, décrivait l'état du pays comme "quasi-apocalyptique »[95]. "

---

95 *Report S/22366 to the United Nations Security Council, detailing the findings of the mission undertaken by Under-Secretary-General Martti Ahtisaari to assess the humanitarian needs arising in Iraq in the aftermath of the Gulf War.*

La vision militaire diffère légèrement: « *Selon le colonel Kenneth Rizel (2001), l'application de la théorie des cinq cercles du colonel John A. Warden III durant la guerre, en ciblant les infrastructures matérielles et en préconisant l'usage de bombardements stratégiques couplés à des bombes guidées, aurait fait preuve d'un succès indéniable, bien que moralement problématique. Ainsi, selon lui, cette campagne aérienne a permis d'éviter nombre de "dégâts collatéraux", ne faisant que 3 000 morts chez les civils de façon directe malgré le largage de 88 000 tonnes de bombes en 43 jours (ce qui est davantage que ce qui fut largué en 1943 par les Alliés). En revanche, la destruction des usines hydroélectriques et autres installations électriques, qui a permis d'anéantir les capacités de command and control de l'armée irakienne, a provoqué l'explosion d'épidémies de gastroentérites, de choléra et de typhoïde, en empêchant le fonctionnement des centres de traitement d'eau potable et d'eau usagée. Peut-être 100 000 civils sont ainsi morts indirectement, selon lui, tandis que le taux de mortalité infantile doublait. L'Organisation mondiale de la santé (OMS) n'enregistrait aucun cas de choléra en 1990, plus de 1 200 en 1991 et plus de 1 300 en 1994. La prévalence de la typhoïde était passée d'environ 1 600 cas en 1990 à plus de 24 000 en 1994*[96]. »

« Un autre rapport de l'ONU, de 1999[97]*, soulignait les effets à plus long terme de cette campagne de bombardements ayant anéanti la plupart des infrastructures nécessaires à la survie de la société (eau, électricité, hôpitaux, etc.). Selon ce*

---

96 Voir 12 et 14.

97 United Nations Report. Annex II of S/1999/356. "*Report of the Second Panel Established Pursuant to the Note by the President of the Security Council of 30 January 1999 (S/1999/100) concerning the current humanitarian situation in Iraq*

rapport, le taux de mortalité à l'accouchement était passé de 50 pour 100 000 en 1989 à 117 en 1997, tandis que le taux de mortalité infantile (compris pour inclure les enfants de moins de 5 ans) passait pendant la même période de 30 pour 1 000 à plus de 97 pour 1 000; entre 1990 et 1994, il avait été multiplié par 6. Avant la guerre, en 1990, l'Irak produisait environ 8 900 millions de watts; en 1999, ce chiffre avait été réduit à 3 500. Cette réduction est due à la fois aux bombardements aériens et aux sanctions économiques appliquées ensuite par l'ONU (résolution du Conseil de sécurité des Nations unies n° 661; la résolution 687 d'avril 1991 permettait l'envoi de denrées alimentaires et de fournitures médicales, mais pas des matériaux nécessaires à la reconstruction du réseau électrique et d'eau potable). La difficulté essentielle tient à la distinction entre les morts indirectes causées par les bombardements et celles causées par les sanctions, qui ont empêché la reconstruction du pays[98]. »

Quant au prix des guerres de Saddam Hussein, le Quid indique que l'Irak, à compter de 1980, a englouti 500 milliards de dollars dans ces conflits.

Cependant, ce qu'il faut retenir de tout cela, c'est que lorsque la coalition américano-britannique déferle de nouveau sur l'Irak, le pays ne s'est pas encore relevé. Un peu comme si on avait attaqué l'Allemagne en 1946...

« *L'invasion, le 20 mars 2003, de l'Irak par la coalition menée par les États-Unis fut en effet une immense partie de poker menteur qui se solda par plusieurs centaines de milliers de morts. Dix ans plus tard, le bilan fait honte à une bonne partie des Américains eux-mêmes. L'Irak est loin, très loin, d'être cette démocratie rêvée par George W. Bush et ses éminences grises, ces néoconservateurs qui se refusent toujours à lever le voile sur les coulisses de ce conflit: le vice-président*

98 https://fr.wikipedia.org/wiki/Guerre_du_Golfe

Dick Cheney, le secrétaire à la Défense Donald Rumsfeld ou bien son secrétaire adjoint Paul Wolfowitz...[99] »

Les Anglo-Américains sont intervenus en Irak en prenant note de l'hostilité de la Russie, de la Chine, de la France et de l'ONU à cette opération.

Pour la petite histoire, la position de l'Élysée irritera tellement George Bush junior qu'il décrétera qu'on ne mange plus de « *French Fries* » aux États-Unis. Dorénavant, il faut commander des « *liberty fries* », un rappel grossier du nom de l'opération militaire qui a lieu en Irak et qui porte le nom de « Irak freedom ». Une guerre éclair contre un peuple désarmé... militairement. Mais pas intellectuellement, quoi que l'on puisse penser de ses dirigeants.

Washington et Londres font une autre erreur : les « spécialistes » calculent mal l'influence des divers groupes religieux. Ils calculent mal, aussi, l'amertume des militaires sunnites qui avaient travaillé sous Saddam Hussein, de même que le ressentiment que provoque leur présence dans la région.

« *Dans son livre* Le Temps des turbulences *paru en 2007, Alan Greenspan, qui dirigea la Réserve fédérale de 1987 à 2006, n'a pas hésité à dire tout haut* “*ce que tout le monde sait : l'un des grands enjeux de la guerre d'Irak était le pétrole*”[100]. »

« *L'attentat contre un mausolée chiite de Samarra, au nord de Bagdad, en février 2006, donne le coup d'envoi d'un conflit confessionnel d'une violence inouïe. Combats de rue, attentats, assassinats mettant aux prises insurgés chiites et sunnites d'un côté, forces de la coalition de l'autre. Al-Qaïda et ses affiliés s'implantent dans le pays. L'apocalypse com-*

---

99 *Le Figaro*, Arielle Thedrel, 20 mars 2013.

100 Idem.

mence. Chaque mois, les victimes se comptent par milliers. Dix ans plus tard, la situation sécuritaire, si elle n'est pas comparable avec celle qui prévalait de 2005 à 2008, demeure précaire[101] . »

BASÉ SUR DES MENSONGES

Pourtant, toute cette affaire avait débuté par des représailles qui pourraient être qualifiées d'incompréhensibles au moment d'écrire ces lignes. Certes, New York avait été attaqué et le président Bush disait que Saddam Hussein et sa clique étaient dans « l'axe du mal » (comme Téhéran, d'ailleurs, alors que ces deux pays étaient toujours des ennemis irréconciliables).

Tout président des États-Unis qu'il était à cette époque, George W. n'avait aucune crédibilité et ne pouvait, sérieusement, défendre de telles prétentions. Cependant, derrière lui, certains hommes avaient assez de nerfs pour s'installer devant une caméra, la fixer et dire sur un ton convaincu qu'ils combattaient le « mal ». Le vice-président Dick Cheney était de ceux-là. Il ne jouissait pas d'une grande crédibilité, mais il compensait par un culot époustouflant. La secrétaire d'État alors à la sécurité nationale, Condoleeza Rice, avait aussi suffisamment de bagout pour soutenir le contraire de ce que disaient les rapports de ses services de police, pourtant connus de la presse.

Enfin, le général Colin Powell est monté au front pour justifier l'action de son gouvernement. Ce militaire (évidemment conservateur) avait une excellente réputation avant le 5 février 2003. Pas un homme très progressiste, mais un homme de conviction et un homme droit.

Il est alors secrétaire d'État. Le 5 février 2003, il monte à la tribune des Nations Unies et raconte que Saddam

---

101 Idem.

Hussein possède des armes de destruction massive. Il faut donc l'arrêter, s'en débarrasser.

« "Il ne peut faire aucun doute que Saddam Hussein a des armes biologiques" et "qu'il a la capacité d'en produire rapidement d'autres" en nombre suffisant pour "tuer des centaines de milliers de personnes". Comment? Grâce à des "laboratoires mobiles" clandestins qui fabriquent des agents atroces tels la "peste, la gangrène gazeuse, le bacille du charbon ou le virus de la variole". Sûr de son fait, le puissant Américain ajoute: "Nous avons une description de première main" de ces installations de la mort[102]. »

La description de « première main », c'est une source du nom de « Curveball », un nom de code qu'a fourni la CIA au général Powell qui ne connaît même pas le vrai nom de l'informateur puisque l'information émane supposément du BND[103] (service de renseignements allemand). Or, les États-Unis vont s'enliser dans une guerre obscène sur les racontars d'un fumiste qui ne songe qu'à s'installer en Allemagne et sortir du camp de réfugiés où se trouvent également 60 000 autres Irakiens.

Arrivé en Allemagne en 1999, après quelques jours de détention, Rafid al-Janani alias Curveball décide de régler son cas. Il dit être ingénieur chimiste et avoir travaillé dans une usine de semences agricoles à 70 kilomètres de Bagdad.

« Il a des révélations à faire. En réalité, déclare-t-il, les semences ne sont qu'une couverture, le site de Djerf al-Nadaf dépend non du ministère de l'Agriculture, mais de celui de la Défense. L'usine fait partie d'un vaste programme clandes-

---

102 http://tempsreel.nouvelobs.com/l-enquete-de-l-obs/20130308.OBS1260/l-incroyable-histoire-du-mensonge-qui-a-permis-la-guerre-en-irak.html

103 Bundesnachrichtendienst, nom de code de la CIA: Cascope.

tin d'armes biologiques dont il connaît, confie-t-il, tous les détails. Il est prêt à les livrer[104]*.* »

Évidemment, c'est l'émotion dans les services du BND et on envoie un type d'expérience pour « tester » la crédibilité de l'ingénieur. Un « officier traitant » comme le veut le jargon du milieu.

Mais Rafid est vite convaincant, d'autant plus qu'un an auparavant, Saddam Hussein avait chassé les inspecteurs de l'ONU et que plus personne ne savait ce qui se passait en Irak.

« *À son officier traitant, Rafid assure qu'il est sorti major de sa promotion à l'université de Bagdad en 1994 et que, de ce fait, il a été secrètement embauché, dès la fin de ses études, par la commission de l'industrie militaire, le saint des saints du pouvoir, dirigé par un gendre de Saddam Hussein. "J'ai d'abord travaillé au centre Al-Hakam", dit-il en passant. Al-Hakam ! Le nom fait sursauter Dr Paul (l'officier traitant). C'est là qu'une équipe des Nations unies chargée de traquer les armes interdites en Irak, l'Unscom, a découvert, quelques années plus tôt, des restes de poulets tués par l'injection de toxines*[105]*.* »

Pour l'officier traitant, l'information est plausible puisque le centre Al-Hakam avait été fermé et détruit par l'ONU en 1996 et qu'il s'agissait d'un centre de fabrication d'armes biologiques. On écoute alors plus attentivement Rafid. Son histoire concorde avec les informations détenues par le BND.

Le renseignement allemand communique avec le renseignement militaire américain, la DIA (Defense Intelligence

---

104 *Le Nouvel Observateur*, Vincent Jauvert, 10 mars 2013.

105 Idem.

Agency), qui adopte immédiatement Rafid et lui donne le nom de code « Curveball » (destiné à tromper, en argot anglais).

« Du jour au lendemain, le petit chimiste change radicalement de statut. Fini Zirndorf, le centre d'hébergement surpeuplé. On lui fournit un bel appartement meublé, une télévision câblée, une assurance-maladie, une Mercedes (son rêve !), des gardes du corps et une carte de réfugié politique. Mieux : cinq officiers du BND à la retraite sont chargés de lui rendre la vie le plus agréable possible. Ils lui font visiter la ville et découvrir tous ses plaisirs, ils l'invitent dans les meilleurs restaurants, les boîtes de nuit les plus huppées. Seuls les transfuges de la plus haute importance ont droit à un tel traitement de faveur, à tant de "baby-sitters", comme on dit au BND. Selon le journaliste Bob Drogin, le tout coûtera au service allemand plus de 1 million d'euros en 2000 ! »

IL PARLE BEAUCOUP

« En échange, « Curveball » parle. Beaucoup. Il dit que le projet de laboratoires mobiles est né en 1995. Quand il a compris que l'Unscom (United Nation Special Commission) allait découvrir le centre d'Al-Hakam, raconte-t-il à Dr Paul (son officier traitant), le gendre de Saddam Hussein a décidé de poursuivre le programme biologique dans des unités non repérables par l'Unscom : des camions réfrigérés qui circuleront en ville[106]. »

Sauf que Curveball raconte n'importe quoi et le BND et le MI6 s'en rendent rapidement compte après avoir fait des vérifications de routine. Le témoignage de l'homme de 31 ans ne vaut plus rien et ses avantages lui sont retirés. Puis, il y a l'attentat contre les tours jumelles à New York qui fait en sorte que des politiciens bien placés veulent utiliser ce témoignage.

---

106 Idem.

Et voilà que les agents du renseignement, CIA en tête, se posent de sérieuses questions, d'autant plus que les informations de Curveball ont déjà été rendues publiques et que Georges Tenet, le patron de la CIA, affirme devant le Congrès qu'il tient d'un transfuge crédible l'information voulant que Saddam produise des armes biologiques.

Nous sommes alors à l'automne 2002.

Le patron de la CIA en Europe, Tyle Drumheller, se sent nerveux.

« Il déjeune avec le chef de l'antenne du BND à Washington. Il lui demande que la source soit interrogée par des officiers de la CIA. À quoi bon, c'est un affabulateur, lui répond son interlocuteur. De toute façon, il refuse d'être questionné par des Américains ou des Israéliens. Donc c'est non. L'Allemand précise que son service a proposé à "Curveball", devenu dépressif, d'aller se faire oublier en Turquie, mais l'Irakien a refusé. »[107]

Malgré toutes les mises en garde des services de renseignements, la section de la CIA responsable du dossier des armes de destruction massive s'entête à vouloir croire que Rafid dit la vérité. Le bureau de George W. y tient aussi beaucoup, même si on répète que c'est très risqué.

« Le président des États-Unis conservera le passage sur les laboratoires mobiles dans son discours. De même que Colin Powell, à l'ONU, quelques jours plus tard. "Tenet ne nous a pas dit qu'il y avait tant de réserves sur Curveball", explique aujourd'hui le colonel Wilkerson, qui a aidé le secrétaire d'État à rédiger son discours. En fait, il était sûr qu'après la guerre, l'armée américaine allait trouver des armes de des-

107 Idem.

truction en Irak et que, du coup, ces histoires de source pas fiable seraient oubliées. »[108]

L'invasion de l'Irak allait démontrer que Saddam Hussein n'avait pas de telles armes, pas plus que les laboratoires pour les produire. Quand la CIA décida d'en avoir le cœur net, elle apprit alors que Curveball avait bel et bien travaillé dans une usine de semences agricoles. Et que c'était un menteur congénital !

Cependant, comme son frère était un proche d'Ahmed Chalabi, on chercha à savoir s'il avait été en contact avec ce dernier. Après tout, Chalabi, un opposant à Saddam, avait réussi à intoxiquer une partie de la presse et des services américains. Mais Curveball n'avait aucun lien avec ce groupe.

Le plus vraisemblable, c'est que Rafid a lu le rapport de l'ONU publié après l'expulsion des inspecteurs. « *C'est là qu'il a pu mémoriser les noms des responsables du programme biologique avant son démantèlement et la description précise du site d'Al-Hakam. C'est là aussi qu'il a appris que les inspecteurs de l'ONU avaient mis la main sur une note écrite au début des années 1990, dans laquelle l'un des ingénieurs du programme biologique proposait à ses chefs de créer des laboratoires mobiles, plus faciles à cacher. Rafid ignorait que cette idée, jugée "trop compliquée", n'avait pas été retenue*[109]. »

La CIA, déjà pointée du doigt pour son inefficacité à contrer l'attentat des tours jumelles, n'hésitait pas à dénoncer Curveball et à le traiter de menteur. En Allemagne, l'affaire faisait un tapage inouï, les citoyens apprenant qu'ils faisaient vivre le « menteur » à hauteur de 3000 euros par mois, pension qui allait d'ailleurs lui être rapidement retirée.

---

108 Idem

109 *Le Nouvel Observateur*, Vincent Jauvert, 10 mars 2013

C'est donc en utilisant les délires de cet homme que l'administration américaine et ses alliés ont engagé des milliers d'hommes dans un combat et une répression qui allaient mener directement à des dissensions au sein d'Al-Qaïda et à la création de l'État Islamique (Daesh).

L'Iran et les moudjahidines n'étaient vraiment pas suffisants, semble-t-il...

Quant au général Colin Powell, après avoir été informé de ces faits, il a demandé des excuses.

« Outré d'avoir été aussi grossièrement manipulé, Colin Powell sort de sa réserve et demande que la CIA et le Pentagone lui expliquent pourquoi ils lui avaient transmis des informations erronées. "C'est absurde", lui répond Donald Rumsfeld qui admet des "erreurs", mais se défend, sans convaincre, d'avoir été « malhonnête »[110]. »

110 *Le Figaro*, Arielle Thedrel, 20 mars 2013.

PSYCHOPATHES OU PATRIOTES ?

Les organisations terroristes ne sont pas de simples groupes d'idéologues, de psychopathes ou d'ennemis de la société ; ce sont plutôt « *des entreprises politiques, avec des processus de recrutement et d'intégration, une aptitude à mobiliser, des règlements internes, des luttes de pouvoir, une production doctrinale*[111] ».

C'est ce que soutient l'auteur et chercheur Jean-Luc Marret[112], un spécialiste non pas des raisons par lesquelles les terroristes justifient leurs actions mais des façons qu'ils utilisent pour mener leurs combats. Ses affirmations sont reprises dans une thèse présentée à l'Université de Lyon, en France[113]. L'auteur, malheureusement inconnu, soutient que les organisations terroristes « *disposent généralement d'une structure hiérarchique et généralement pyramidale, et réalisent tous leurs actes par l'organisation du travail. Ce type de*

111 *MARRET Jean-Luc, Techniques du terrorisme,* p. 25.

112 https ://www.frstrategie.org/frs/chercheurs/jl_marret.php

113 http://theses.univ-lyon2.fr/documents/getpart.php

mécanisme signifie l'ensemble de responsabilités, de pouvoirs et de relations entre les membres au sein de l'organisation[114]. »

Cependant, les formes d'organisation restent diverses. Si plusieurs organisations ont recours à une structure hiérarchisée, d'autres sont plus difficiles à définir, à tel point qu'on en vient à croire qu'il suffit de se déclarer membre d'un groupe pour en être partie prenante.

Ce ne sont pas les organisations les plus importantes, mais elles peuvent s'avérer particulièrement efficaces et dangereuses en permettant, notamment, à des cellules totalement autonomes de poser des gestes en leur nom. C'est le cas d'Al-Qaïda, même si, récemment, on a pu assister à une reconnaissance d'allégeance de certains groupes à l'association. Ce qui ne signifie pas que les dirigeants de la nébuleuse Al-Qaïda possèdent le plein contrôle sur leurs sympathisants. Loin de là. On l'a bien vu avec Daesh dont le dirigeant s'est affranchi de l'organisation avec une facilité étonnante et a donné à son mouvement une puissance surprenante, à une vitesse fulgurante. Et en ce qui concerne les structures, Daesh semble jouer sur les deux tableaux. Extrêmement structuré sur son territoire, le groupe État islamique exporte parfois les actes terroristes de façon coordonnée, mais n'hésite pas à reconnaître la paternité des actes perpétrés en son nom, même si les auteurs de l'attentat ne sont que peu ou pas du tout connus de l'organisation. Cela a été le cas à Ottawa et à San Bernardino, en Californie, en 2015.

Dans son document, Jean-Luc Marret présente un organigramme type de ce qui, selon lui, peut être celui d'une organisation terroriste hiérarchisée. Il cite notamment l'exemple du Hizbullah turc. « *Les membres de l'organisation (Hizbullah) ont monté en puissance par l'ancienneté, en obtenant de l'autorité sur plus de gens. Il n'y a aucun membre*

114 Idem.

qui soit monté directement à un niveau supérieur dans la hiérarchie pyramidale. Chaque membre du cadre dirigeant était un ancien militant et a disposé d'une autorité croissante selon son ancienneté et sa responsabilité assumée au sein de l'organisation. La performance consacrée du membre l'a placé petit à petit dans une position hiérarchiquement supérieure[115]. »

Voici ce à quoi peut ressembler une telle structure :

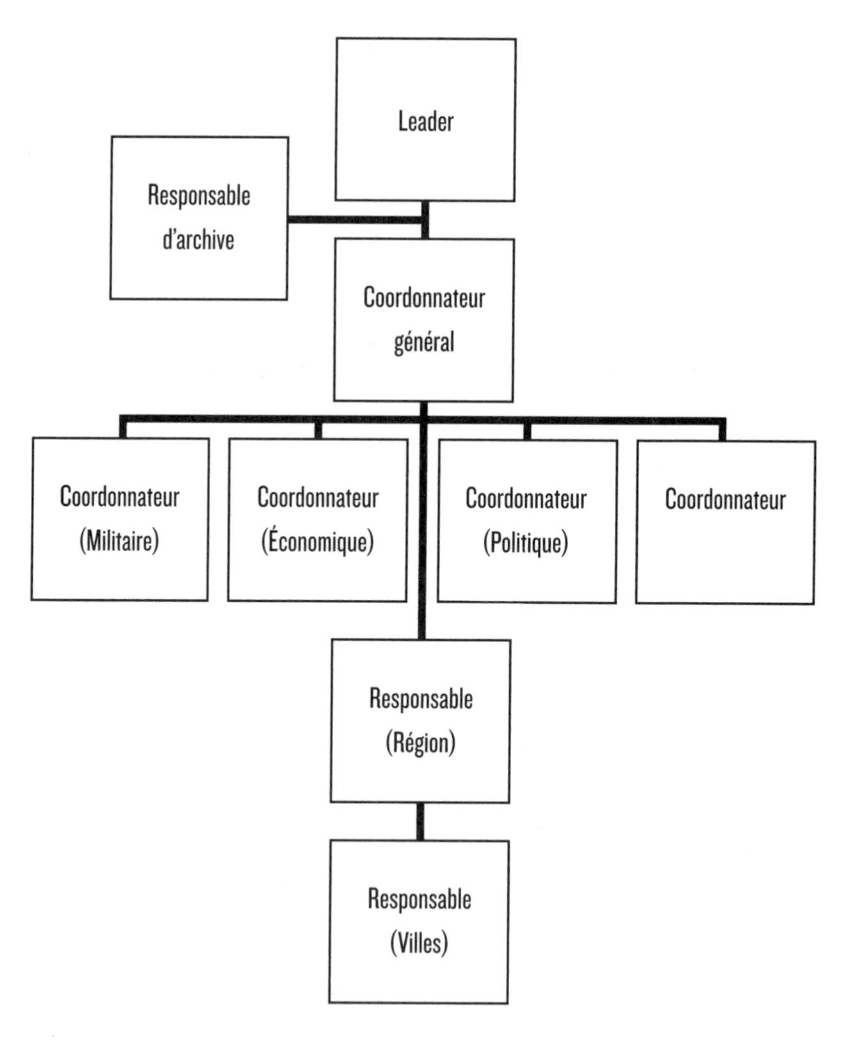

115 MARRET Jean-Luc, *Techniques du terrorisme.*

Les autres structures sont plus « nucléarisées », c'est-à-dire qu'elles tournent autour d'un nouveau central, généralement idéologique, moral et qui définit la ligne directrice des actions à venir sans que la haute direction ne prenne forcément part à l'organisation en tant que telle des actions d'éclat. Ou encore, elles sont sectionnées en deux parties, comme c'était le cas de l'IRA qui avait sa branche politique et sa branche militaire. Voici comment le professeur Marret décrit les choses[116] :

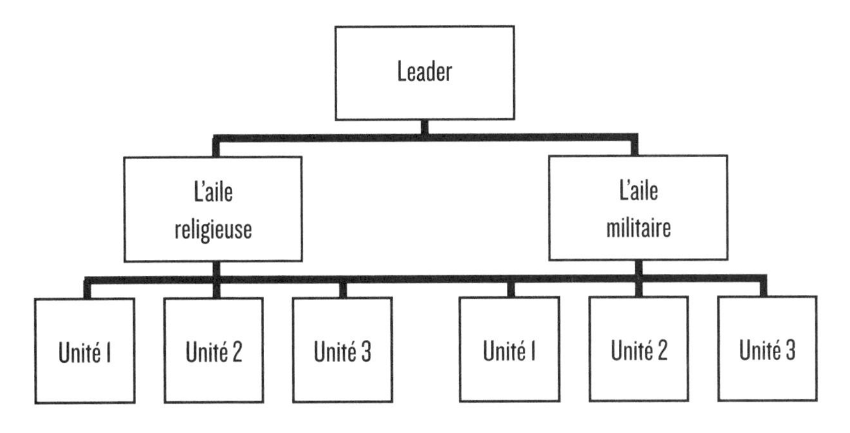

Cependant, fait-il remarquer, on note également que dans les structures terroristes religieuses, la discipline est « *très stricte et se pose non seulement sur la capacité physique du leader mais également sur sa force censée transcendante, car, à l'intérieur de ces organisations, les membres croient généralement que leur leader est aussi un élu de Dieu. C'est pour cette raison qu'ils le nomment généralement comme le halife, le calife ou le guide* ».

Le chercheur constate également que dans de telles organisations, une fois qu'elles sont structurées correctement,

116 Idem.

les membres et leurs familles sont mis à la tâche. Il ne s'agit pas pour tous ces gens de devenir des « soldats », mais plutôt d'être les yeux et les oreilles de l'organisation. « *Par exemple, le Hizbullah a donné la mission aux milliers d'hommes, non seulement ses membres actifs, mais également les familles de ses membres, pour les différentes tâches de l'organisation, notamment le renseignement. Ainsi, les femmes et les enfants de ses membres ont travaillé comme des agents de l'organisation en informant les responsables de tout*[117]. »

Cette forme d'organisation ressemble à celle qui prévaut au Brésil, dans les différentes favellas de Rio de Janeiro. Là-bas, les narcotrafiquants utilisent les enfants comme éclaireurs et espions. Surnommés les « fumées », ils rapportent tout ce qu'ils ont pu apprendre sur les activités de la favela et aucun policier ou étranger ne peut mettre les pieds dans le quartier sans que ce soit su dans les minutes qui suivent. Un système assez efficace. Quand tout le monde est mis à contribution, bien difficile de circuler discrètement. C'était aussi le cas, dans les années 1980, à Belfast, même si l'IRA ne semblait pas avoir besoin des enfants.

Ce qui pose également une autre question : peut-on vraiment parler d'organisation terroriste quand celle-ci a le support de toute sa population ? Et quand, en plus, elle a une existence reconnue et légale ? Et où s'établit la nuance entre terrorisme et guérilla en tant que stratégies de l'insurrection ?

À Belfast, je me souviens d'une manifestation où les « provos » (les soldats en uniforme de l'IRA) se sont littéralement fondus dans les rangs des manifestants quand les soldats britanniques se sont présentés. Ils ont alors littéralement disparu.

---

117 MARRET Jean-Luc, *Techniques du terrorisme.*

Quand une population « couvre » un groupe militaire, pourtant considéré comme terroriste, les choses deviennent nettement plus compliquées pour les autorités.

APPUI TACITE

Dans le cas des organisations terroristes religieuses, surtout celles de l'islam, nombreuses sont celles qui ont l'appui tacite de leur population. Le fait qu'on les désigne comme « terroristes » renvoie à l'exportation de leurs actes de guerre. Si ces actions ne se passaient que sur leur territoire, on n'y prêterait probablement guère attention. Seulement voilà, malheureusement, pour l'Occident, dans de tels cas, ces organisations n'auraient alors pas atteint les buts visés.

Le terrorisme est d'abord et avant tout une affaire de publicité. On ne peut instaurer la terreur si personne n'en parle.

Quand nous avons abordé la question de la révolution iranienne dans ce livre, nous avons vu qu'aux yeux de l'Occident, il s'agissait de l'effondrement d'un système moderne apporté par le chah et ses alliés.

La réalité est quand même un peu différente : les traditions étaient toujours présentes partout au pays et l'image de modernisme, comme nous l'entendons, était l'apanage du chah et de son entourage. Et la terreur aussi était le fait du chah avec sa police tristement célèbre, la Savak. Encore aujourd'hui, les traditions sont solidement implantées en Iran et il n'est pas évident que nos sociétés occidentales soient un attrait culturel de l'envergure que l'on veut bien croire. L'attrait pour l'Occident est surtout une question de richesse... Cela dit, l'Iran a eu ce trait singulier de connaître la terreur, la guérilla et peut-être la terreur de nouveau, mais les témoins manquent pour qu'on puisse en faire un véritable portrait dans la période la plus récente.

Les Russes et anciens Soviétiques pourraient aussi témoigner de la vision qu'ils avaient de l'Occident: son opulence leur faisait envie, mais il n'est pas évident qu'ils voulaient ou veulent encore nous imiter sur tous les aspects de nos fonctionnements sociétaux.

Chose certaine, les fondamentalistes religieux combattants ne veulent pas de nos sociétés ni de nos valeurs car ils recherchent quelque chose de fondamentalement différent.

LA BATAILLE DE LA FIN DES TEMPS

Historien du Moyen-Orient contemporain à l'IEP-Paris, le professeur Jean-Pierre Filiu maintient que les djihadistes étrangers qu'on retrouve sur le sol de l'État Islamiste sont motivés par la même raison que ceux qui adhèrent ou prêtent allégeance à Daesh ou à Al-Qaïda. « *Ceux-ci sont en effet particulièrement motivés par la conviction de mener, sous l'étendard de Daesh, rien moins que la bataille de la fin des temps. Abou Moussah al-Zarquaoui*[118]*, le djihadiste jordanien qui a pris, en 2004, la tête de la branche irakienne d'Al-Qaïda, invoquait volontiers une tradition (hadith) prophétique, dont il présentait la réalisation comme imminente*[119]. »

L'historien en veut pour preuve qu'après la mort de Zarkaoui dans un raid américain, ses héritiers en Irak ont changé le nom d'Al-Qaïda pour celui d'État islamique « *affichant ainsi sa volonté d'établir une base territoriale, puis de l'étendre coûte que coûte*[120] ».

---

118 Celui dont Colin Powell parlait dans son discours devant les Nations Unies pour tenter d'obtenir des appuis pour l'invasion de l'Irak. En fait, c'est Powell qui a propulsé Zarkaoui au sommet de la nébuleuse Al-Qaïda. (NDLR)

119 *Sciences Humaines*, août 2015, p. 56-57.

120 Idem.

Mais, explique-t-il, on joue aussi sur les lieux cités dans les écrits du prophète. Ainsi, ddepuis que le calife s'est auto-proclamé à Mossoul, les militants d'Al-Bagdhadi considèrent que Mossoul est la nouvelle Médine, ville où le prophète avait trouvé refuge avant de revenir à La Mecque. À l'époque, l'opposition était représentée par Constantinople qui *« peut aujourd'hui correspondre à toute métropole européenne*[121] », ce qui signifie que les infidèles tenteront de ramener au bercail leurs brebis égarées, c'est-à-dire ceux qui sont allés combattre auprès du calife.

Cette théorie semble de plus en plus se concrétiser, à un tel point qu'on parle d'endiguer la radicalisation en Occident et même d'empêcher ceux qui se sont radicalisés de voyager…

Selon le chercheur, il s'agit là du grand point fort de la propagande de Daesh qui doit convaincre ses militants *« de l'appartenance à l'avant-garde des élus »* comme en témoigne cette tirade d'un traditionaliste syrien du nom de Ibn Kathir : *« Au nom de Celui dont la main détient mon âme, ma communauté se divisera en 73 sectes : une seule ira au paradis et les 72 autres en enfer. »*

Une autre citation célèbre attribuée à Mahomet dit que *« l'heure dernière n'arrivera pas avant que les Byzantins (donc Constantinople, donc l'Occident) attaquent A'amaq ou Dabiq. Une armée musulmane regroupant des hommes parmi les meilleurs sur terre à cette époque sera dépêchée de Médine (aujourd'hui Mossoul pour Daesh) pour les contrecarrer. Une fois les deux armées face à face, les Byzantins s'écrieront : "Laissez-nous combattre nos semblables convertis à l'Islam". Les musulmans répondront : "Par Allah, nous n'abandonnerons jamais nos frères". Puis la bataille s'engagera. Un tiers s'avouera vaincu et plus jamais Allah ne leur pardonnera. Un*

121 Idem.

tiers mourra; ils seront les meilleurs martyrs aux yeux d'Allah. Et un tiers vaincra; ils ne seront plus jamais éprouvés et ils conquerront Constantinople[122]. »

C'est à ce dernier tiers qu'on a affaire de nos jours.

Selon l'historien, « *la certitude d'avoir raison contre l'ensemble de tous les autres musulmans est essentielle pour consolider la pratique totalitaire de Daesh dont les principales victimes sont les musulmans, généralement Arabes et sunnites, tombés sous sa domination* ».

Il ajoute que le calife « *utilise ainsi des djihadistes européens, étrangers à la langue et à la culture locales, pour mieux opprimer les populations du nord-est de la Syrie. C'est d'ailleurs aussi l'une des raisons du recrutement massif par Daesh de jeunes européennes, afin de les marier à des volontaires de leur propre pays et d'éviter que ces dits volontaires, en prenant une épouse syrienne, tempèrent leur allégeance à Baghdadi*[123]. »

Pourtant, finit-il par dire, il ne faut pas croire que la vision d'apocalypse est le seul fait des miliciens de Daesh. Les hommes de Bassar al-Assad logent à la même enseigne. « *Ils ne sont pas moins convaincus que les partisans de Baghdadi de l'imminence de la fin des temps* ». La différence semble être que « *Daesh offre un imaginaire apocalyptique où des chevaliers héroïques se dirigent vers le combat de la fin des temps*[124] ».

---

122 Idem.

123 Idem.

124 *Sciences Humaines*, août 2015, p. 56-57.

LES PRINCIPALES ORGANISATIONS

DAESH OU ÉTAT ISLAMIQUE est une organisation armée terroriste islamiste, d'idéologie salafiste djihadiste, qui a proclamé le 29 juin 2014 l'instauration d'un califat sur les territoires qu'il contrôle, et souvent considéré comme un proto-État à partir de 2015. Son essor est notamment lié aux déstabilisations géopolitiques causées par les guerres en Irak puis en Syrie.

Sa création remonte à 2006, lorsqu'Al-Qaïda en Irak forme avec cinq autres groupes djihadistes le Conseil consultatif des moudjahidines en Irak. Le 13 octobre 2006, le Conseil consultatif proclame l'**État islamique d'Irak** lequel se considère à partir de cette date comme le véritable État irakien.

En 2012, l'EII commence à s'étendre en Syrie et le 9 avril 2013, il devient l'**État islamique en Irak et au Levant.**

Le 29 juin 2014, l'EIIL annonce le rétablissement du califat sous le nom d'**État islamique** dans les territoires sous son contrôle et Abou Bakr al-Baghdadi se proclame calife, successeur de Mahomet, sous le nom d'Ibrahim. Il entre alors en conflit avec Al-Qaïda.

L'État islamique est classé comme organisation terroriste par de nombreux États et est accusé par les Nations unies, la Ligue arabe, les États-Unis et l'Union européenne d'être responsable de crimes de guerre, de crimes contre l'humanité, de nettoyage ethnique et de génocide. Il pratique également la destruction de vestiges archéologiques millénaires. Depuis août 2014, une coalition internationale de vingt-deux pays et, d'autre part la Russie, intervient militairement contre cette organisation, qui mène également des opérations meurtrières à l'extérieur des territoires sous son contrôle[125].

AL-QAÏDA

Autres appellations: Al-Qa'ida, Usama Bin Laden Organization, Al-Qaeda
Classé comme terroriste par le Canada depuis: 23 juillet 2002
Autres classifications : US Department of State
Origine : Afghanistan
Descriptif: Nom donné à un réseau mondial de groupes islamistes plutôt qu'à une simple organisation structurée et puissante. Le nom Al-Qaïda (qui signifie «la base» en arabe) a été introduit par le gouvernement américain pour décrire un mouvement qui avait pris naissance dans la résistance moudjahedine en Afghanistan. Sous la direction de **Oussama Ben Laden et de Ayman al-Zawahiri,** le réseau cherche à défendre les causes islamiques radicales à travers l'utilisation de tactiques terroristes et militaires. Même si, aujourd'hui, Al-Qaïda est la plus connue des entités terroristes et la plus dangereuse dans les croyances populaires, il n'en demeure pas moins que sa véritable structure et sa réelle taille restent inconnues. Ses aspirations religieuses remontent aux Frères Musulmans et sa doctrine est le salafisme. De nos jours, il semblerait que chaque cas de terrorisme islamique soit relié d'une façon ou d'une autre à Al-Qaïda. Une réalité qui sert non seulement les intérêts de l'organisation mais aussi les jeux politiques de nombreux pays. Beaucoup spéculent

125 https://fr.wikipedia.org/wiki/etat_islamique_(organisation)

sur l'existence même d'Al-Qaïda ; certains la voient comme une étiquette plutôt que comme une organisation tandis que d'autres doutent même de son existence.

BOKO HARAM est un mouvement insurrectionnel et terroriste d'idéologie salafiste djihadiste, originaire du nord-est du Nigeria et ayant pour objectif d'instaurer un califat et d'appliquer la charia.

De 2002 à 2015, son nom officiel est **Groupe sunnite pour la prédication et le djihad.** Fondé par Mohamed Yusuf en 2002 à Maiduguri, et parfois qualifié de secte, prônant un islam radical et rigoriste, le mouvement a d'abord revendiqué une affiliation aux talibans afghans, avant de s'associer aux thèses djihadistes d'Al-Qaïda et de l'État islamique. Depuis la mort de Mohamed Yusuf en 2009, son leader est Abubakar Shekau.

Le 7 mars 2015, Boko Haram prête allégeance à l'État islamique, ce que ce dernier reconnaît officiellement cinq jours plus tard. Le groupe abandonne son ancien nom et forme officiellement une « province » de l'EI la **Wilayat al-Sudan al-Gharbi.** Il prend également le nom d'**État islamique en Afrique de l'Ouest.** Le mouvement est à l'origine de nombreux massacres, attentats et enlèvements à l'encontre de populations civiles de toutes confessions, au Nigeria mais aussi au Cameroun. Il est responsable de crimes de guerre, de crimes contre l'humanité et est classé comme organisation terroriste par le Conseil de sécurité des Nations Unies[126], le 22 mai 2014.

126 www.erta-tcrg.org/groupes/groupes_description.htm

FRONT DE LIBÉRATION DE LA PALESTINE (FLP)
Autres appellations: FLP — Faction Abou Abbas
Classé comme terroriste par le Canada depuis:
13 novembre 2003
Autres classifications: ONU, UE , US Department of State
Origine: Palestine
Descriptif: Groupe fondé à l'origine par Ahmed Jibril en 1959 et qui revendique un état palestinien indépendant. Le groupe subit des dissensions internes qui verront naître le FPLP (Front populaire de libération de la Palestine) et le FPLP-CG (Front populaire de libération de la Palestine — Commandement général) jusqu'en 1977 où il connaît un renouveau sous l'impulsion de **Muhammad Zaidan (Abu Abbas)** et Tal'at Ya'akub. Le groupe est alors composé de trois factions établies en Tunisie, au Liban, en Syrie et en Libye. À la mort de Ya'akub en 1988, Abbas prend le contrôle de l'organisation et procède à un regroupement de ces factions. Un des événements marquants du groupe fut le détournement du **navire de croisière italien Achille Lauro** en 1985. Au milieu des années 90, Abbas et les autres dirigeants du FLP abandonnent la voie de la violence pour se consacrer à la vie politique au sein de l'OLP (Organisation de libération de la Palestine) de Yasser Arafat. En 2003, Abbas est capturé par les Américains lors de l'invasion en Irak. Alors que toujours captif, il meurt peu de temps après, officiellement, de cause naturelle[127].

127 Idem.

FRONT POPULAIRE DE LIBÉRATION DE LA PALESTINE — COMMANDEMENT GÉNÉRAL (FPLP-CG)

Autres appellations : Al-Jibha Sha'biya lil-Tahrir Filistin-al-Qadiya al-Ama

Classé comme terroriste par le Canada depuis : 13 novembre 2003

Autres classifications : ONU, UE , US Department of State

Origine : Palestine

Descriptif: Faction dissidente du Front populaire de libération de la Palestine (FPLP) dirigée par **Ahmed Jibril.** Son objectif principal est la lutte armée contre l'État israélien sans aucune issue politique. De même idéologie que le FPLP, ce groupe s'est fait connaître notamment par l'utilisation de moyens inhabituels d'attaque tels que les montgolfières et les deltaplanes motorisés. Certains attentats imputables au FPLP sont en réalité l'œuvre de cette branche dissidente. Il n'en demeure pas moins qu'aujourd'hui cette organisation n'occupe qu'un rôle secondaire dans le conflit israélo-palestinien[128].

128 Idem.

FRONT POPULAIRE DE LIBÉRATION DE LA PALESTINE (FPLP)

Autres appellations : Al-Jibha al-Sha'biya lil-Tahrir Filistin
Classé comme terroriste par le Canada depuis :
13 novembre 2003

Autres classifications: ONU, UE , US Department of State
Origine: Palestine
Organisation indépendantiste laïque, d'extrême-gauche, fondée après la Guerre des six jours. À l'origine, elle prend naissance suite à la fusion de plusieurs mouvements dont le principal est le Mouvement nationaliste arabe du **Dr George Habash.** En 1967, ce dernier crée le FPLP et en devient son leader emblématique. C'est à la fin des années 60 que l'organisation se fait connaître notamment par le détournement d'un avion de la compagnie israélienne El Al en provenance de Rome en 1968, le détournement d'un avion de la compagnie américaine TWA en 1969 assurant la liaison Los Angeles — Damas (cette attaque fut dirigée à l'époque par Leila Khaled, autre figure emblématique du mouvement), l'attentat à la bombe en 1970 contre un avion de la compagnie helvétique Swissair en destination d'Israël qui avait fait 47 morts et le détournement simultané de 4 avions des compagnies Pan Am, TWA, Swissair et BOAC en 1970. Le FPLP fit exploser trois de ces avions sur le *tarmac* de l'aéroport en Jordanie après en avoir fait sortir tous ses passagers. C'est dans cette même période que le FPLP rejoint l'Organisation de libération de la Palestine (OLP) qu'il quittera quelques années plus tard, la jugeant trop laxiste et complaisante face à l'État hébreu. En 2000, Abu Ali Mustafa prend la tête du mouvement mais il est tué un an plus tard dans une attaque de l'armée israélienne contre les bureaux de l'organisation. En représailles, le FLPL assassine, en novembre 2001, le ministre israélien du tourisme, Rehavam

Zeeni. Depuis, l'organisation est en perte de vitesse au profit des groupes islamistes tels que le Hamas et le Jihad Islamique Palestinien[129].

GROUPE ISLAMIQUE ARMÉ (GIA)

Autres appellations: Armed Islamic Group, al-Jama'ah al-Islamiyah al-Musallah
Classé comme terroriste par le Canada depuis: 23 juillet 2002

Autres classifications: ONU, US Department of State
Origine: Algérie
Descriptif: Groupe fondamentaliste qui a pour objectif le renversement du gouvernement algérien et l'instauration d'un état islamique. Son origine reste incertaine même si beaucoup considèrent que le GIA a pris son envol suite à la dissolution du FIS (Front islamique du Salut) aux élections de 1992. Sa devise, « Pas de dialogue, pas de réconciliation, pas de trêve », est à l'image de son intransigeance. Le groupe a mené une véritable campagne de terreur de 1992 à 1998 en se livrant à l'assassinat de civils en Algérie et, parfois même, à l'anéantissement de villages entiers. Durant cette période, le groupe est dirigé par Mansour Meliani jusqu'en 1994 où il est remplacé par Cherif Gousmi puis par Djamel Zitouni. C'est sous sa direction que le groupe déplace ses tactiques sur le territoire français: détournement du vol 8969 d'Air France en décembre 1994 (qui s'est terminé par un assaut des autorités françaises sur le *tarmac* de l'aéroport de Marseille), attentats dans le RER (Réseau express régional) parisien aux stations St-Michel (juillet 1995) et Maison-Blanche (octobre 1995). Dans la foulée de ces attentats, une bombe

129 Idem.

n'ayant pas explosé permet de retracer Khaled Kelkal, jeune Algérien vivant en France, dont la traque et le décès lors d'une fusillade avec les policiers furent hautement médiatisés. En 1996, le GIA tue sept moines à Tibhirine puis, la même année, Zitouni est assassiné par des membres d'une faction dissidente du groupe. C'est Antar Zouabri qui en devient son nouveau « émir » (jusqu'en 2002) et qui radicalise le groupe en prônant une approche takfiriste. Le dernier leader du groupe a été Rachid Abou Tourab. Sa lutte sanglante contre le FIS et sa branche armée, l'Armée islamique du Salut, ajoutée au massacre de civils a drainé toute forme de support populaire. Une rumeur persistante voudrait que le GIA eût été contrôlé depuis plusieurs années par les services secrets algériens afin d'encourager la France à renforcer sa lutte contre les réseaux du groupe. Une thèse appuyée par les allégations voulant que Zitouni ait fait partie de la Sécurité Militaire Algérienne. Ces dernières années, le GIA s'est effacé du paysage algérien au profit du Groupe salafiste pour la prédication et le combat (GSPC)[130].

130 Idem.

LA BRIGADE DES MARTYRS D'AL-AQSA (BMAA)

Autres appellations: Groupe des martyrs de l'intifada d'Al-Aqsa, Brigades d'al-Aqsa, Groupe des martyrs d'al-Aqsa, le bataillon des martyrs d'al-Aqsa, Milices armées des bataillons des martyrs d'al-Aqsa, Al-Aqsa Martyrs Brigade, Al-Aqsa Martyrs Battalion.
Classé comme terroriste par le Canada depuis: 2 avril 2003

Autres classifications: ONU, UE, US Department of State
Origine: Palestine
Descriptif: Milice militaire palestinienne associée au Fatah, la faction de Yasser Arafat, ancien chef de l'Autorité palestinienne. Apparue peu de temps après le déclenchement de la seconde Intifada (l'Intifada al-Aqsa), cette milice en constitue une des principales forces en action. Son nom est tiré de la mosquée al-Aqsa, un des lieux sacrés de l'Islam. Les liens entre le Fatah et les BMAA ont toujours été empreints d'une certaine opacité même s'il apparaît, aujourd'hui, que le mouvement d'Arafat a toujours soutenu cette milice. En la laissant opérer librement, Arafat essayait, notamment, d'appuyer la résistance militaire contre les raids israéliens dans les territoires occupés. Les BMAA utilisent l'Islam comme source d'inspiration dans leur lutte pour la libération de la Palestine mais n'adhèrent pas à l'idée d'un état islamique. À l'origine, les BMAA menaient une campagne de guérilla contre les soldats de Tsahal et contre les colons. Cependant, depuis 2002, elles ciblent des civils israéliens lors d'attaques suicides, où, à certaines occasions, des mineurs ont servi de kamikazes. Ces attaques, qui ciblent des lieux publics très fréquentés, ont fait de nombreuses victimes comme lors de l'explosion à la station de bus de Tel-Aviv en janvier 2003 (23 morts). Certaines attaques dans les territoires occupés

auraient été conjointement menées par les BMAA et d'autres groupes de militants palestiniens tels que le Hamas, le Jihad islamique palestinien et le Hezbollah [131].

HARAKAT UL-MUDJAHIDIN (HUM)

Autres appellations: Al-Faran, Al-Hadid, Al-Hadith, Harkat-ul-Mujahideen, Harakat ul-Mujahideen, Harakat al-Mujahideen, Harkat-ul-Ansar, Harakat ul-Ansar, Harakat al-Ansar, Harkat-ul-Jehad-e-Islami, Harkat Mujahideen, Harakat-ul-Mujahideen al-Almi, Mouvement des combattants de la guerre sainte, Mouvement des moudjahidines, Mouvement des compagnons du Prophète, Mouvement des combattants islamiques et Al Qanoon
Classé comme terroriste par le Canada depuis:
27 novembre 2002

Autres classifications: ONU, US Department of State
Origine: Pakistan
Descriptif: Groupe islamiste d'inspiration wahhabite opérant principalement dans la région du Cachemire et militant pour l'annexion complète de ce territoire au Pakistan. Le groupe a été fondé par des mouvements religieux dans les années 80, à l'origine, pour combattre les forces soviétiques en Afghanistan. Fazlur Rehman Khalil, longtemps à la tête du groupe, a cédé sa place en 2000 à Farooq Kashmiri. Le HuM a signé la Fatwa lancée par Ben Laden en 1998 et fait partie du « Front islamique mondial du djihad contre les croisés et les juifs ». Les attaques imputables au groupe ont surtout visé les forces indiennes et les civils dans la région du Cachemire. Néanmoins, certains kidnappings suivis de l'exécution de ressortissants étrangers seraient l'œuvre de HuM. Tandis

131 Idem.

que les États-Unis décidaient d'inscrire le HuM dans sa liste d'organisations terroristes dès 1997, le Pakistan adoptait une position beaucoup plus mitigée. D'une part, son éternel conflit avec l'Inde au sujet du Cachemire ne lui permettait pas de proscrire de manière absolue un groupe militant tel que HuM. D'autre part, Islamabad a toujours eu des relations ambiguës avec les groupes islamistes radicaux présents sur son territoire[132].

HEZBOLLAH

Autres appellations:
Hizbullah, Hizbollah, Hizballah, Hezballah, Hizbu'llah, Parti de Dieu, Jihad islamique (Guerre sainte islamique), Organisation du Jihad islamique, Résistance islamique, Jihad islamique de libération de la Palestine, Ansar al-Allah (Les Partisans de Dieu), Ansarollah (Les Partisans de Dieu), Ansar Allah (Les Partisans de Dieu), Al-Muqawamah al-Islamiyyah (Résistance islamique), Organisation des opprimés, Organisation des opprimés sur terre, Organisation de la justice révolutionnaire, Organisation du bien contre le mal et Disciples du prophète Mahomet
Classé comme terroriste par le Canada depuis:
11 décembre 2002

Autres classifications: ONU, US Department of State
Origine: Liban
Descriptif: Mouvement chiite fondamentaliste, à la fois militaire et politique, fondé en 1982 pour combattre la présence israélienne dans le sud du Liban et créer un état islamique sur le modèle iranien. Perçu par les Occidentaux

132 Idem.

et par les Israéliens comme une organisation terroriste islamiste, il est considéré par beaucoup, dans le monde arabe et musulman, comme un parti politique légitime. Le leader spirituel du Hezbollah est le cheikh Mohammed Fadlallah, qui a aussi dirigé les destinées du groupe jusqu'en 1987. C'est également jusqu'à cette période, que le mouvement s'appuie, entre autres, sur l'Armée secrète arménienne de libération de l'Arménie (ASALA) pour mener certaines opérations. Le bras armé du mouvement, la Résistance islamique, a lutté contre l'armée israélienne au Liban jusqu'à son retrait en 2000. Un retrait synonyme de victoire pour le Hezbollah et de source d'inspiration pour les Palestiniens dans la libération des territoires occupés. Le mouvement jouit depuis longtemps de l'appui militaire et financier de l'Iran, du soutien tacite de la Syrie et de la complaisance des autorités libanaises. En marge de ses tactiques de guérilla au Liban, le mouvement s'est livré à des attentats suicides et des enlèvements de ressortissants occidentaux sous le couvert de cellules ou d'organisations aux appellations diverses. Ces attaques ont souvent dépassé les frontières du Proche-Orient même si le mouvement a réfuté une quelconque forme de participation à ces attentats. Le Hezbollah possède aussi une branche civile qui s'occupe de fournir des services de santé et d'éducation, ce qui ne fait qu'accroître sa ferveur populaire. Une ferveur qui est régulièrement reflétée dans les urnes lors des élections au Liban. Le Hezbollah possède une antenne d'information au Liban, al-Manar TV, qui diffuse dans plusieurs pays et en différentes langues. À l'heure actuelle, le groupe serait dirigé par **Hassan Nasrallah**.

Faits à noter concernant le Canada

L'inclusion du Hezbollah dans la liste canadienne des organisations terroristes a suscité de vives réactions de la part des dirigeants du mouvement. Il semblerait que cette inclusion fait suite à des plaintes et des pressions de groupes juifs au Canada tels que le Canada-Israel Committe (CIC) et le B'nai Brith [133].

JIHAD ISLAMIQUE PALESTINIEN (JIP)

Autres appellations: Jihad islamique de Palestine, Jihad islamique — Faction palestinienne, Guerre sainte islamique, Palestinian Islamic Jihad (PIJ), Islamic Jihad of Palestine, PIJ — Shaqaqi Faction, PIJ — Shalla Faction, Al-Quds Brigades, Harakat al-Jihad al-Islami al-Filastini
Classé comme terroriste par le Canada depuis:
27 novembre 2002

Autres classifications: ONU, UE, US Department of State
Origine: Palestine
Descriptif: Mouvement fondamentaliste militant pour la libération de la Palestine et la destruction de l'État d'Israël. Il est également opposé à certains pays arabes modérés qu'il perçoit comme pas assez musulmans ou trop occidentalisés. Issu des Frères Musulmans, le mouvement combine une idéologie à la fois de fanatisme islamique et de nationalisme extrémiste. Le mouvement est créé dans les années 70 par le Dr Fathi Shaqaqi à titre de branche palestinienne du Jihad islamique égyptien (Al-Jihad). Ce dernier dirigera l'organisation jusqu'en octobre 1995 où il est assassiné à Malte dans des circonstances nébuleuses. À ce jour, beaucoup considèrent que ce sont les agents du Mossad qui sont derrière cet assassinat. Son remplaçant est le Dr Ramadan Shalah, qui est toujours à la tête de l'organisation. Contrairement

133 Idem.

au Hamas, le mouvement ne jouit pas d'un très grand support populaire en plus de n'avoir aucun rôle politique ou social dans les territoires occupés. Le quartier général de l'organisation se trouve à Damas en Syrie. L'aile militaire du groupe, les brigades Al-Quds, est responsable de nombreux attentats en sol israélien, dont une majorité d'attentats suicides. Ces derniers ont été perpétrés à quelques reprises par des femmes ou de jeunes adolescents. Le plus important demeure, à ce jour, l'attentat à Haïfa en octobre 2003 : une femme kamikaze palestinienne s'est fait exploser à l'intérieur tuant 21 personnes et en blessant 60 autres[134].

134 Idem.

ORGANISATION ABOU NIDAL (OAN)

Autres appellations: Conseil révolutionnaire Fatah, Conseil révolutionnaire, Conseil révolutionnaire du Fatah, Conseil révolutionnaire Al-Fatah, Fatah – le Conseil révolutionnaire, Juin noir, Brigades révolutionnaires arabes, Organisation révolutionnaire des musulmans socialistes, Septembre noir, Révolution égyptienne, Cellules des fedayins arabes, Conseil révolutionnaire de la Palestine et de l'Organisation Jund al Haq, Fatah Revolutionary Council, Arab Revolutionary Brigades, Black September, Revolutionary Organization of Socialist Muslims
Classé comme terroriste par le Canada depuis:
12 février 2003

Autres classifications: ONU, UE, US Department of State
Origine: Palestine
Descriptif: Organisation palestinienne fondée en 1974 par **Sabri Khalil al-Banna (mieux connu sous le nom de Abou Nidal**) en tant que faction dissidente du mouvement Fatah de Yasser Arafat à l'intérieur de l'Organisation pour la libération de la Palestine (OLP). Considéré comme le plus sanguinaire des terroristes dans les années 80, Abou Nidal rejetait toute forme de compromis avec Israël. Il considérait que la lutte armée contre l'État hébreu était un principe sacré et le seul moyen d'obtenir la libération de la Palestine. Par le fait même, les membres du Fatah étaient considérés comme des traîtres qui devaient être punis. À ses débuts, l'organisation est installée en Irak avant d'être chassée en 1983 par Saddam Hussein dans son effort d'attirer la sympathie des Occidentaux dans le conflit avec l'Iran. Abou Nidal établira ensuite ses bases en Syrie, en Libye puis en Égypte.

Il retournera en Irak où il sera retrouvé mort en août 2002, assassiné sous les ordres de Saddam Hussein selon la version palestinienne, suicide selon la version officielle. Durant toutes ses années, Abou Nidal s'établira en véritable mercenaire à contrat pour la cause palestinienne. Ses actions menées dans une vingtaine de pays ont fait plus de 900 victimes (dont 300 morts) et visaient les États-Unis, la Grande-Bretagne, la France, Israël, plusieurs pays arabes ainsi que des Palestiniens modérés et des membres de l'OLP. Parmi ses attaques les plus sanglantes, il y eut les attaques contre le comptoir d'El-Al aux aéroports de Rome et de Vienne en 1985 qui firent 18 morts et 120 blessés, l'attaque contre la synagogue Nev Shalom à Istanbul et le détournement du vol 73 de Pan Am à Karachi en septembre 1986, l'attaque contre un navire de croisière en Grèce en juillet 1988, l'assassinat de deux membres de l'OLP à Tunis en janvier 1991 et l'assassinat d'un diplomate jordanien au Liban en 1994. Le groupe aurait à toutes fins pratiques disparu avec le décès de son leader emblématique et la fin du financement de l'organisation par certains régimes du Moyen-Orient[135].

135 Idem.

LA SOCIÉTÉ DES FRÈRES MUSULMANS, raccourcie sous l'appellation Frères Musulmans, est une société secrète fondée en 1928 par Hassan el-Banna, à Ismaïlia au nord-est de l'Égypte, qui se compose d'un appareil militaire et d'une organisation ouverte, dont l'objectif réel est la restauration du califat islamique, quand, officiellement, il n'est question que de renaissance islamique et de lutte non violente contre l'influence occidentale. Cette organisation panislamiste est officiellement considérée comme organisation terroriste par le gouvernement égyptien, la Russie, l'Arabie Saoudite et les Émirats arabes unis. Elle a rapidement essaimé ses idées dans les pays à majorité musulmane du Moyen-Orient, au Soudan et en Afrique du Nord, et a établi des « têtes de pont » jusqu'en Europe. Certains groupes de partisans se sont constitués en mouvements autonomes, comme le Jama'a al-islamiya ou encore le Hamas[136].

Il s'agit là d'une description des principales organisations parmi les plus connues. Mais il y en a d'autres comme le laissent entendre les différents bureaux de contre-terrorisme. Pour en donner un aperçu, voici la liste du département d'État américain, une liste qui est mise à jour continuellement. Ce qui est présenté ici n'est que la liste des organisations ÉTRANGÈRES considérées comme terroristes par les États-Unis ; n'y figurent pas les organisations que le gouvernement américain a retirées, ni les organisations qui soutiennent les organisations terroristes ou ont affaire avec elles. Dans cette liste, on retrouve des mouvements aussi bien politiques que mafieux ou religieux.

136 https://fr.wikipedia.org/wiki/Freres_musulmans

Pour apparaître sur cette liste, dit le bureau du contre-terrorisme :

1- L'organisation doit être étrangère.

2- L'organisation doit être engagée dans des actions terroristes... ou doit détenir la capacité et l'intention de s'engager dans des actions terroristes.

3- Les activités de telles organisations doivent constituer une menace à la sécurité des citoyens des États-Unis ou à la sécurité nationale des États-Unis (défense nationale, relations étrangères ou intérêts économiques)[137].

(NDLR– Traduction libre de l'auteur)

137 http://www.state.gov/j/ct/rls/other/des/123085.htm

ORGANISATIONS TERRORISTES ÉTRANGÈRES	
Date d'inscription	**Nom**
10/8/1997	Organisation Abu Nidal
10/8/1997	Groupe Abu Sayaf
10/8/1997	Aum Shinrikyo (AUM)
10/8/1997	État basque et sa liberté (ETA)
10/8/1997	Gama'a al-Islamiyya (Groupe islamique) (IG)
10/8/1997	HAMAS
10/8/1997	Harakat ul-Mujahidin (HUM)
10/8/1997	Hizbollah
10/8/1997	Kahane Chai (Kach)
10/8/1997	Parti des travailleurs du Kurdistan (PKK) (Kongra-Gel)
10/8/1997	Organisation de libération des tigres de Tamil Eelam (LTTE)
10/8/1997	Armée nationale de libération (ANL)
10/8/1997	Front de libération de la Palestine (FLP)
10/8/1997	Djihad islamique palestien (DIP)
10/8/1997	Front populaire de libération de la Palestine (FPLP)
10/8/1997	FPLP- Commandement général (FPLP-CG)
10/8/1997	Forces armées révolutionnaires de Colombie (FARC)
10/8/1997	Revolutionary People's Liberation Party/Front (DHKP/C)
10/8/1997	Sentier Lumineux
10/8/1999	al-Qaïda (AQ)

9/25/2000	Mouvement islamique d'Ouzbékistan (IMU)
5/16/2001	Vraie armée républicaine irlandaise (RIRA)
12/26/2001	Jaish-e-Mohammed (JEM)
12/26/2001	Lashkar-e Tayyiba (LeT)
3/27/2002	Brigade des martyrs Al-Aqsa (AAMB)
3/27/2002	Asbat al-Ansar (AAA)
3/27/2002	Al-Qaïda du Mahgreb islamique (AQMI)
8/9/2002	Parti communiste des Philippines / Nouvelle armée populaire (PCP/NAP)
10/23/2002	Jemaah Islamiya (JI)
1/30/2003	Lashkar i Jhangvi (LJ)
3/22/2004	Ansar al-Islam (AAI)
7/13/2004	Continuity Irish Republican Army (CIRA)
12/17/2004	État islamique d'Irak et du Levant (anciennement Al-Qaïda en Irak)
6/17/2005	Union du djihad islamique(IJU)
3/5/2008	Harakat ul-Jihad-i-Islami/Bangladesh (HUJI-B)
3/18/2008	al-Shabaab
5/18/2009	Lutte révolutionnaire (LR)
7/2/2009	Kata'ib Hizbollah (KH)
1/19/2010	Al-Qaïda péninsule arabique (AQPA)
8/6/2010	Harakat ul-Jihad-i-Islami (HUJI)
9/1/2010	Tehrik-e Taliban Pakistan (TTP)
11/4/2010	Jundallah
5/23/2011	Armée islamique (AI)
9/19/2011	Moudjahidines indiens (MI)
3/13/2012	Jemaah Anshorut Tauhid (JAT)
5/30/2012	Brigades Abdallah Azzam (BAA)

9/19/2012	Réseau Haqqani (RH))
3/22/2013	Ansar al-Dine (AAD)
11/14/2013	Boko Haram
11/14/2013	Ansaru
12/19/2013	Batallion al-Mulathamun
1/13/2014	Ansar al-Shari'a de Benghazi
1/13/2014	Ansar al-Shari'a de Darnah
1/13/2014	Ansar al-Shari'a de Tunisie
4/10/2014	ISIL Province du Sinaï (anciennement Ansar Bayt al-Maqdis)
5/15/2014	Front Al-Nosra
8/20/2014	Conseil des Moudjahidines Shura des environs de Jérusalem (CMS)
9/30/2015	Jaysh Rijal al-Tariq al Naqshabandi (JRTN)

L'Europe détient une liste encore plus longue où, essentiellement, on retrouve les mêmes organisations.

Tant en Europe qu'aux États-Unis et au Canada, il existe aussi une liste des organisations et des individus proscrits, c'est-à-dire bannis des relations commerciales ou même qui sont empêchés de se déplacer sur le sol européen et nord-américain à cause de leurs liens avec des organisations terroristes ou du soutien qu'ils accordent à de telles organisations.

LES TERRORISTES LES PLUS RECHERCHÉS

Il s'agit des terroristes sur lesquels le Federal Bureau of Investigation (FBI) américain veut le plus mettre la main. Évidemment, Ben Laden ne fait plus partie du groupe. Il est dans la liste des décédés. Cependant, ce qui est particulier, c'est que le calife de l'État Islamique, Abou Bakr al-Baghdadi, n'y apparaît pas. Son nom ne figure que sur le site du Département d'État puisqu'il n'a pas été inculpé par un grand jury. Il vaut 10 millions de dollars, soit la moitié moins de ce que valait Ben Laden.

Les descriptions qui suivent émanent du FBI.

JEHAD SERWAN MOSTAFA

Complot pour fournir un soutien matériel à des terroristes ; complot pour fournir un soutien matériel à une organisation terroriste étrangère ; fournir du matériel d'appui à une organisation terroriste étrangère.

RÉCOMPENSE : Le Département d'État des États-Unis offre une récompense pouvant aller jusqu'à 5 millions de dollars pour toute information menant directement à l'arrestation ou à la condamnation, dans tous les pays, de Jehad Serwan Mostafa.

Jehad Mostafa est recherché pour ses activités terroristes présumées et agissant pour al-Shabaab, une organisation terroriste basée en Somalie.

Le 9 octobre 2009, un mandat d'arrêt fédéral d'un grand jury fédéral et un acte d'accusation ont été émis pour Jehad Serwan Mostafa par la Cour du district sud de Californie, à San Diego, en Californie. L'acte d'accusation retenu contre Mostafa affirme qu'il a fourni un soutien matériel à une organisation terroriste étrangère, al-Shabaab. L'acte d'accusation retient notamment les crimes suivants: complot pour fournir un soutien matériel à des terroristes; complot en vue de fournir un soutien matériel à une organisation terroriste étrangère; et avoir fourni une aide matérielle à une organisation terroriste étrangère. Mostafa parle l'anglais, l'arabe et le somalien. Il peut avoir visité ou est susceptible de visiter les pays suivants: la Somalie, le Yémen, l'Éthiopie, le Kenya et d'autres pays africains. En outre, Mostafa est diplômé d'une université de Californie et possède un baccalauréat en économie.

Mostafa est gaucher. Il porte une barbe et des lunettes. Ses différents alias: Emir Anwar, Ahmed Gurey, Anwar al-Amriki, «Ahmed» (surnom), «Anwar» (surnom), Abu Abdullah al-Muhajir.

IBRAHIM SALIH Mohammed Al-YACOUB

Complot pour assassiner des ressortissants américains; complot pour meurtre aux États-Unis; complot pour utiliser des armes de destruction massive envers de ressortissants américains; complot en vue de détruire des biens des États-Unis.

RÉCOMPENSE: Le Département d'État des États-Unis offre une récompense pouvant aller jusqu'à 5 millions de dollars pour toute information menant directement à l'arrestation ou à la condamnation d'Ibrahim Saleh Mohammed Al-Yacoub.

Ibrahim Saleh Mohammed Al-Yacoub a été inculpé dans le district Est de Virginie le 25 juin 1996, pour les bombardements d'un complexe militaire de logements à Dhahran, en Arabie Saoudite.

Al-Yacoub est un membre présumé de l'organisation terroriste, Hezbollah arabique.

MOHAMMED ALI HAMADEI

Conspiration pour commettre un acte de piraterie aérienne, une prise d'otages, une tentative d'assassinat, pour avoir nui à un agent de bord et avoir placé un dispositif de destruction à bord d'un aéronef.

RÉCOMPENSE : Le Département d'État des États-Unis offre une récompense pouvant aller jusqu'à 5 millions de dollars pour toute information menant directement à l'arrestation ou à la condamnation de Mohammed Ali Hamadei.

Mohammed Ali Hamadei a été inculpé pour son rôle et sa participation dans le détournement d'un avion de ligne commerciale, le 14 juin 1985, qui a abouti à l'assaut sur divers passagers et membres d'équipage et l'assassinat d'un citoyen des États-Unis.

Hamadei est un membre présumé de l'organisation terroriste Hezbollah libanais. On croit qu'il est au Liban.

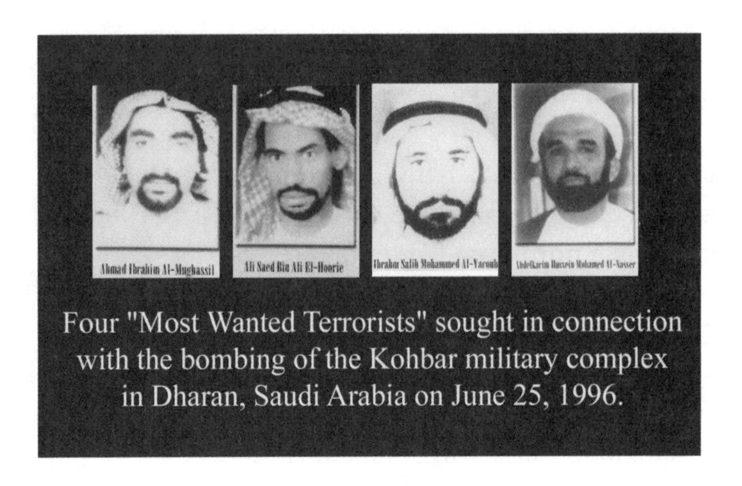

Four "Most Wanted Terrorists" sought in connection with the bombing of the Kohbar military complex in Dharan, Saudi Arabia on June 25, 1996.

ABDELKARIM Mohamed Hussein Al-Nasser

Complot pour assassiner des ressortissants américains ; complot pour meurtre aux États-Unis ; complot pour utiliser des armes de destruction massive à l'encontre de ressortissants américains ; complot en vue de détruire des biens des États-Unis.

RÉCOMPENSE : Le Département d'État des États-Unis offre une récompense pouvant aller jusqu'à 5 millions de dollars pour toute information menant directement à l'arrestation ou à la condamnation de Mohamed Abdelkarim Hussein Al-Nasser.

Abdelkarim Hussein Mohamed Al-Nasser a été inculpé dans le district Est de Virginie le 25 juin 1996, pour les bombardements d'un complexe militaire de logements à Dhahran, en Arabie Saoudite.

Al-Nasser est le chef présumé de l'organisation terroriste Hezbollah arabique.

JOANNE DEBORAH Chesimard
Loi du terrorisme domestique; vol ; assassinat

Récompense: Le FBI offre une récompense pouvant aller jusqu'à 1 million de dollars pour toute information menant directement à l'arrestation de Joanne Chesimard.

Joanne Chesimard est recherchée pour évasion de la prison de Clinton, New Jersey, alors qu'elle purgeait une peine à perpétuité pour assassinat. Le 2 mai 1973, Chesimard, qui faisait partie d'une organisation extrémiste révolutionnaire connue sous le nom Black Liberation Army, et deux complices ont été arrêtés pour vol de véhicule à moteur sur le New Jersey Turnpike par deux militaires et deux policiers. À l'époque, Chesimard était recherchée pour son implication dans plusieurs crimes, y compris vol de banque. Chesimard et ses complices ont ouvert le feu sur les soldats. Un soldat a été blessé et l'autre a été abattu à bout portant. Chesimard a fui la scène, mais a ensuite été appréhendée. Un de ses complices a été tué dans la fusillade et l'autre a également été appréhendé et est toujours détenu.

En 1977, Chesimard a été reconnue coupable de meurtre au premier degré, d'assaut et voies de fait sur un officier de police, voies de fait avec une arme dangereuse, voies de fait avec intention de tuer, possession illégale d'une arme et vol à main armée. Elle a été condamnée à la prison à vie. Le 2 novembre 1979, Chesimard s'est évadée de prison et était en fuite avant d'être repérée à Cuba en 1984. On croit qu'elle y serait encore.

Elle peut adopter divers styles de coiffure et porter des vêtements tribaux africains.

Chesimard a des cicatrices sur la poitrine, l'abdomen, à l'épaule gauche et au genou gauche.

Ses alias : Assata Shakur, Joanne Byron, Barbara Odoms, Joanne Chesterman, Joan Davis, Justine Henderson, Mary Davis, Pat Chesimard.

1. Jo-Ann Chesimard
2. Joanne Debra Chesimard
3. Joanne D. Byron
4. Joanne D. Chesimard
5. Joanne Davis
6. Chesimard Joanne
7. Ches Chesimard
8. Sœur-Love Chesimard
9. Joann Debra Byron Chesimard
10. Joanne Deborah Byron Chesimard
11. Joan Chesimard
12. Josephine Henderson
13. Carolyn Johnson
14. Carol Brown
15. «Ches»

Dates de naissance d'occasion : 16 juillet 1947;
19 Août, 1952

Cheveux : Noir / Gris
Lieu de naissance : New York City
Yeux : Brun
Taille : 5 pieds 7 pouces
Poids : 135 à 150 livres
Sexe : Féminin
Couleur : Noir
Citoyenneté : Américaine

AYMAN AL-ZAWAHIRI

Assassinat de ressortissants américains hors des États-Unis; complot pour meurtre de ressortissants américains hors des États-Unis; attaque d'un établissement fédéral ayant causé la mort.

RÉCOMPENSE : Le Département d'État des États-Unis offre une récompense pouvant aller jusqu'à 25 millions de dollars pour toute information menant directement à l'arrestation ou à la condamnation d'Ayman al-Zawahiri.

Ayman al-Zawahiri a été inculpé pour son rôle présumé dans les bombardements du 7 août 1998 des ambassades américaines à Dar es Salaam, en Tanzanie, et de Nairobi, au Kenya.

Al-Zawahiri est médecin et le fondateur du Jihad islamique égyptien (JIE). Cette organisation lutte contre le gouvernement égyptien laïc et cherche son renversement par des moyens violents. Depuis 1998, l'EIJ dirigé par Al-Zawahiri a fusionné avec Al-Qaïda.

RAMADAN ABDULLAH MOHAMMAD Shallah

Racket et corruption (loi RICO); complot pour assassiner des personnes dans un pays étranger.

RÉCOMPENSE : Le Département d'État des États-Unis offre une récompense pouvant aller jusqu'à 5 millions de dollars pour toute information menant directement à l'arrestation ou à la condamnation de Ramadan Abdullah Mohammad Shallah.

Ramadan Abdullah Mohammad Shallah est recherché pour complot en vue de conduire les affaires de l'organisation terroriste internationale désignée comme le « Jihad islamique palestinien » (JIP) à travers un modèle d'activités de racket comme les attentats, les meurtres, des extorsions, et le blanchiment d'argent. Shallah était l'un des membres fondateurs de la JIP et est actuellement le Secrétaire général et chef de l'organisation, qui a son siège social à Damas, en Syrie. Il a été répertorié comme un « terroriste particulièrement ciblé » en vertu du droit des États-Unis le 27 novembre 1995. Shallah a été inculpé de 53 chefs d'accusation par la Cour des États-Unis, District de la Floride, à Tampa.

Shallah a obtenu un doctorat en économie en administration bancaire d'une université d'Angleterre. Dans le passé, il a travaillé comme professeur d'université dans plusieurs pays et a des liens à Tampa, en Floride, de même que dans la bande de Gaza, en Égypte et à Londres, en Angleterre. Il porte souvent des lunettes, une moustache et la barbe.

HASAN IZZ-al-Din

Conspiration pour commettre un acte de piraterie aérienne, une prise d'otages, un acte de piraterie aérienne causant la mort, pour avoir nui à un membre d'équipage et avoir placé un dispositif de destruction à bord d'un aéronef.

RÉCOMPENSE : Le Département d'État des États-Unis offre une récompense pouvant aller jusqu'à 5 millions de dollars pour toute information menant directement à l'arrestation ou à la condamnation de Hassan Izz-al-Din.

Hasan Izz-al-Din a été inculpé pour son rôle dans la planification et la participation du détournement d'un avion de ligne commerciale le 14 juin 1985 qui s'est terminé par des voies de fait sur divers passagers et membres d'équipage, et l'assassinat d'un citoyen des États-Unis.

Izz-al-Din est un membre présumé de l'organisation terroriste Hezbollah libanais. On croit qu'il serait au Liban.

ABDULLAH AHMED ABDULLAH

Assassinat de ressortissants américains hors des États-Unis; complot pour meurtre de ressortissants américains hors des États-Unis; attaque d'un établissement fédéral ayant causé la mort; complot en vue de tuer des ressortissants des États-Unis.

RÉCOMPENSE : Le Département d'État des États-Unis offre une récompense pouvant aller jusqu'à 5 millions de dollars pour toute information menant directement à l'arrestation ou à la condamnation d'Abdullah Ahmed Abdullah.

Abdullah Ahmed Abdullah a été inculpé pour son implication présumée dans le bombardement des ambassades américaines à Dar es Salaam, en Tanzanie, et de Nairobi, au Kenya, le 7 août 1998.

Abdullah a fui Nairobi, au Kenya, le 6 août 1998, et est allé à Karachi, au Pakistan. Il peut porter une moustache.

MUHAMMAD AL-MUNAWAR AHMED
Endommagement d'un aéronef; installation illégale d'un dispositif de destruction sur un aéronef; exécution d'un acte de violence contre un individu sur un aéronef; prise d'otages; assassinat de ressortissants des États-Unis hors du territoire national.

RÉCOMPENSE: Le Département d'État des États-Unis offre une récompense pouvant aller jusqu'à 5 millions de dollars pour toute information menant directement à l'arrestation ou la condamnation, dans tous les pays, de Muhammad Ahmed Al-Munawar.

Muhammad Ahmed Al-Munawar a été inculpé dans le District de Columbia pour son rôle présumé dans le détournement de l'avion Pan American World Airways, vol 73, le 5 septembre 1986, lors d'une escale à Karachi, au Pakistan. Les pirates de l'air ont tenté d'assassiner 379 passagers et membres d'équipage, dont 89 citoyens américains. L'attaque a causé la mort de 20 passagers et membres d'équipage, dont 2 citoyens américains.

Al-Munawar réside probablement dans un pays du Moyen-Orient. Il est soupçonné d'être un membre de l'organisation Abou Nidal.

GROUPEMENTS ET ALLÉGEANCES

« Tous ces crimes et exactions commis par les Américains représentent une déclaration de guerre franche contre Dieu, son prophète et les musulmans (...) En conséquence, et en accord avec les commandements d'Allah, nous publions la fatwa suivante à destination de tous les musulmans : "Tuer les Américains et leurs alliés civils et militaires est un devoir individuel pour chaque musulman qui peut le faire partout où il lui est possible de le faire jusqu'à la libération de la mosquée al-Aqsa et de la mosquée Al Haram de leur mainmise"[138]. »

Oussama Ben Laden

Il s'agit là du texte de l'appel au djihad *« pour la libération des lieux saints musulmans »* lancé par Ben Laden le 23 février 1998 lors de la formation du Front islamique mondial pour le djihad contre les juifs et les croisés. La lutte des ennemis des dévots islamistes s'est depuis ce temps allongée et le groupe s'est scindé lors de l'apparition de l'État Islamique ou Daesh. Malgré leurs différends religieux, les deux organisations principales (il y en a d'autres) demeurent puissantes et ne cessent d'étendre leurs ramifications.

Voici un portrait de ces deux groupes en 2015.

---

138 *Washington Post*, 5 mai 2011.

L'État islamique ou Daesh est l'organisation terroriste la plus riche, on l'a déjà dit, même si les frappes occidentales et russes ont dégarni son trésor de guerre, notamment en visant les exportations de pétrole de l'EI et en détruisant les installations pétrolifères. En deux ans, cette organisation a su rallier plusieurs autres groupes à sa cause. Advenant la destruction du califat de Syrie, elle renaîtrait fatalement ailleurs et resterait extrêmement dangereuse.

Sont affilés à Daesh les groupes suivants :

Depuis le 25 juin 2014, le Groupe Abou Sayyaf, Philippines.

Depuis le 30 juin 2014, Liwa Al-Sunna (Brigades des sunnites libres), Liban.

Depuis le 9 juillet 2014, Mouvement du califat et du djihad, Pakistan.

Depuis le 14 août 2014, Combattants pour la liberté de Bangsamoro (Biff), Philippines.

Depuis le 9 novembre 2014, Ansar Al-Charia, est de la Lybie.

Depuis le 10 novembre 2014, Ansar Beit Al-Maqdis, Égypte.

Depuis le 7 mars 2015, Boko Haram, Nigéria.

Depuis le 14 mai 2015, groupe armé Al-Mourabitoune, Mali.

Depuis le 31 mars 2015, Gond Al-Khilafa (soldats du califat), Tunisie.

Même si elle est en perte de vitesse, Al-Qaïda demeure encore très puissante.

Sont affiliés à Al-Qaïda les groupes suivants :

Le Djihad islamique égyptien

Brigade Abdullah Azzam

Front Al-Nosra

Al Qaïda dans le sous-continent indien

Le groupe de combat islamique de Lybie

Al-Qaïda péninsule arabique

Al-Qaïda en Irak

Lashkar-e-Taïba et Jaish-e-Muhammad au Cachemire

Mouvement islamique d'Ouzbekistan

Groupe islamique armé en Algérie

Groupe Abou Sayyaf en Malaisie et aux Philippines

Jemaah Islamaya en Asie du sud-est

Al-Qaïda du Maghreb islamique

Les experts du renseignement américain soutiennent également que l'organisation entretiendrait de solides liens avec le Hezbollah au Liban[139].

Cependant, dans cet univers, les alliances se font et se défont sur simple déclaration. Il n'y aurait donc rien d'étonnant à constater que cette liste n'est plus à jour et que des organisations ont changé de camp.

Des différences sont à souligner entre les deux organisations. Si elles poursuivent toutes deux l'établissement d'un califat musulman où la charia serait appliquée dans son impitoyable rigueur, les moyens pris pour parvenir à ce but sont différents. Al-Qaïda est plus tentaculaire alors que Daesh est résolument attaché à un territoire, une situation qui semble séduire de plus en plus d'organisations qui lui prêtent allégeance, étendant ainsi son influence et augmentant l'espérance de l'organisation de voir un jour le califat recouvrir le Moyen-Orient, l'Afrique du Nord, le Maghreb, une partie de l'Afrique et peut-être une portion des territoires musulmans anciennement soviétiques.

La partie la plus vulnérable étant pour l'instant l'Afrique dont les infrastructures militaires et politiques sont instables.

LE FINANCEMENT

La logique de guerre ou logique de combat s'encombre peu des questions morales.

Le vol, la rapine, les trafics de tous genres font partie de cette vision qui peut se résumer en peu de mots: la fin justifie les moyens.

C'est que pour soutenir une lutte, quelle qu'elle soit, il faut trois éléments: la volonté d'atteindre un but, tout

139 http://www.cfr.org/terrorist-organizations-and-networks/al-qaeda-k-al-qaida-al-qaida/p9126 #p4

Carte mondiale

Très élevé

Elevé

Sensible

Faible

Activité de Daech

du terrorisme

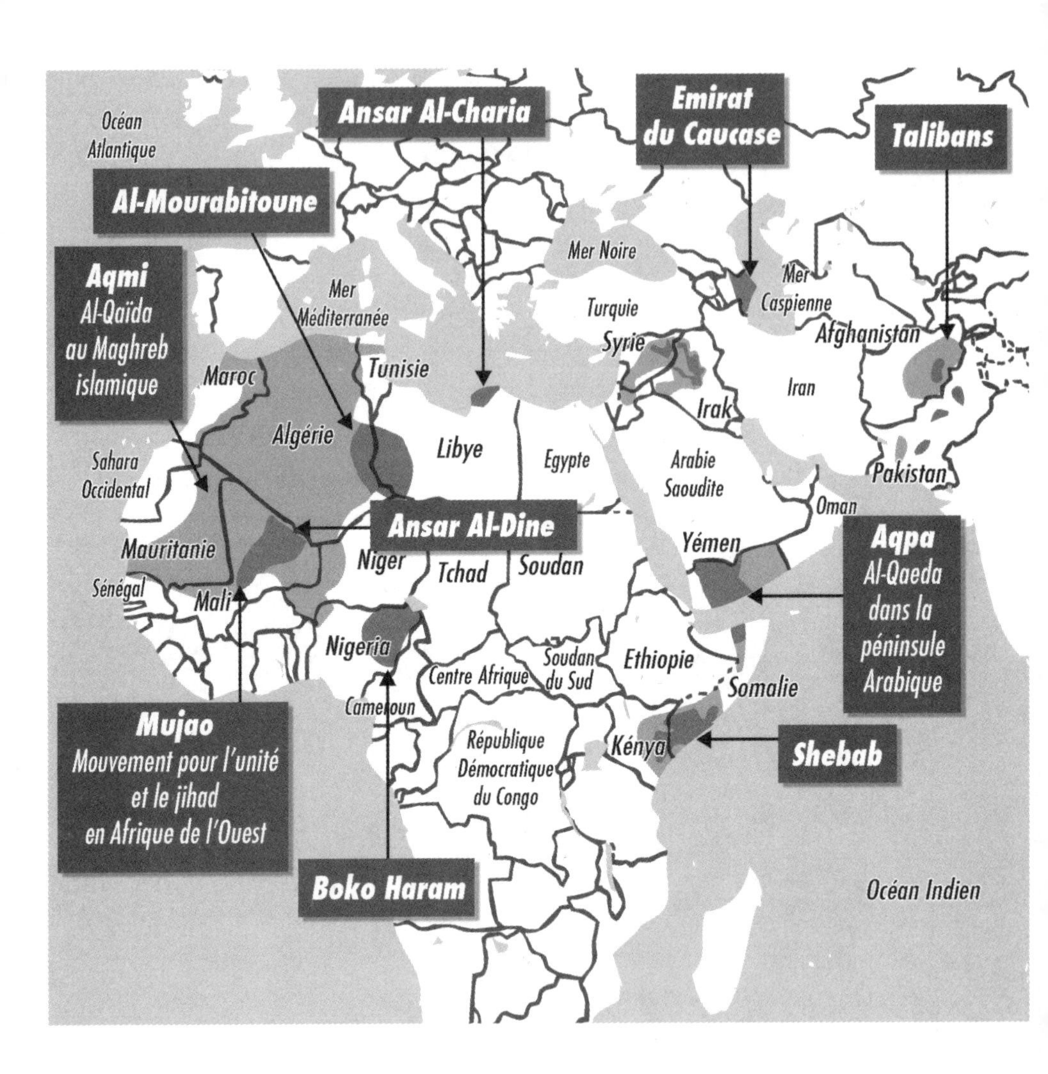
Océan Atlantique
Ansar Al-Charia
Emirat du Caucase
Talibans
Al-Mourabitoune
Aqmi
Al-Qaïda au Maghreb islamique
Mer Noire
Mer Méditerranée
Turquie
Mer Caspienne
Syrie
Afghanistan
Tunisie
Maroc
Iran
Irak
Algérie
Libye
Egypte
Arabie Saoudite
Sahara Occidental
Pakistan
Oman
Ansar Al-Dine
Mauritanie
Niger
Tchad
Soudan
Yémen
Aqpa
Al-Qaeda dans la péninsule Arabique
Sénégal
Mali
Nigeria
Centre Afrique
Soudan du Sud
Ethiopie
Somalie
Cameroun
Mujao
Mouvement pour l'unité et le jihad en Afrique de l'Ouest
République Démocratique du Congo
Kénya
Shebab
Boko Haram
Océan Indien

d'abord, des armes et, surtout, les moyens d'acquérir ces armes. Une fois ces trois conditions réunies, il est possible de passer à l'action.

Encore une fois, il faut revenir sur les notions de guérilla et de terrorisme. Quand on songe à Daesh, on est obligé de penser à une guérilla (même à une guerre compte tenu de la dimension du conflit). Cependant, quand on parle d'Al-Qaïda, on se rabat fatalement sur le terrorisme, parce que, dans le cas de cette organisation, il n'y a pas de défense de territoire ou de volonté territoriale qui soit rattachée à la « lutte ». Pour Al-Qaïda, il y a une obscure volonté d'établir, un jour, un califat islamique. Bref, un souhait, que de vieilles barbes blanches ne verront pas réalisé de leur vivant. Dans le cas de Daesh, la situation est tout autre. Non seulement il y a une volonté, mais il y a un territoire et, surtout, des moyens.

D'où vient donc cet argent ?

Le terrorisme est devenu, en soi, une industrie et un courant politique.

« En règle générale, les régimes les plus laïcs du Moyen-Orient sont ceux qui se sont montrés les plus indépendants vis-à-vis des États-Unis. Plus un régime est allié avec Washington, plus il est islamique. L'Égypte de Nasser, l'Irak républicain, le Mouvement national palestinien, l'Algérie d'après l'indépendance, la République du Yémen du Sud, la Syrie baasiste : tous ces pays ont choisi une trajectoire indépendante des États-Unis. Aucun d'eux ne s'est proclamé État islamique, et ils sont nombreux à avoir réprimé chez eux les mouvements islamiques. En revanche, les gouvernements dépendants des États-Unis ont toujours revendiqué une autorité islamique, qu'ils soient gouvernés par un monarque affirmant descendre du prophète, comme en Jordanie, au Yémen du Nord et au Maroc, ou prétendant à un rôle particulier de protecteur de la foi, comme dans le cas de l'Arabie Saoudite.

Quand d'autres gouvernements se sont rapprochés des États-Unis – l'Égypte de Sadate dans les années 1970, le Pakistan de Zia ul-Haq dans les années 1980 –, leur rhétorique politique et leur mode de légitimation se sont faits ouvertement plus islamiques[140]. »

Ça, c'est le côté politique. Autrement dit, on a fabriqué, de toutes pièces, un islamisme corrosif pour répondre à des situations économiques précises.

« Ceux qui ont ordonné les bombardements sont ceux qui sont derrière le projet de califat. Les milices de l'EI, qui sont actuellement la cible présumée d'une campagne de bombardements des États-Unis et de l'OTAN en vertu d'un mandat de "lutte au terrorisme", ont été et sont toujours soutenues clandestinement par les États-Unis et leurs alliés.

« Autrement dit, l'État islamique (NDLR – Daesh) a été créé par le renseignement étasunien, avec le soutien du MI6 britannique, du Mossad israélien, de l'Inter-Services Intelligence (ISI) pakistanais et l'Al Mukhabarat Al A'amah de l'Arabie Saoudite (ou General Intelligence Presidency (GIP) en anglais). Par ailleurs, selon des sources du renseignement israélien (Debka), l'OTAN, en liaison avec le haut commandement turc, était impliqué dans le recrutement de mercenaires djihadistes dès le début de la crise syrienne en mars 2011.

« En ce qui concerne l'insurrection syrienne, les combattants de l'État islamique ainsi que le Front Al-Nosra, des forces djihadistes affiliées à Al-Qaïda sont les fantassins de l'alliance militaire occidentale. Ils sont secrètement soutenus par les États-Unis, l'OTAN et Israël. Leur mandat consiste à

140 *Carbon democracy*, Timothy Mitchell, p. 240-241, *La Découverte*.

mener une insurrection terroriste contre le gouvernement de Bachar al-Assad. Les atrocités commises par les combattants de l'État islamique en Irak sont similaires à celles commises en Syrie[141]. »

C'est une vision. Ce qui signifie que Daesh ou l'État Islamique serait financé à même nos impôts pour nous créer un tas de problèmes. Rien d'impossible quand on sait que c'est la présidence des États-Unis qui a financé et créé de toutes pièces le mouvement des moudjahidines. Voyons ce que les Russes pensent de cette question. Notons que la citation présentée ci-dessous se rapporte à l'attentat de Boston et n'a rien à voir avec Daesh.

« La plupart des experts s'accordent pour dire que le terrorisme constitue une source importante de revenus quelles que soient l'ampleur des activités et la structure des organisations terroristes. Même derrière le "terrorisme du loup solitaire" il y a des forces assez puissantes. Beaucoup d'experts soulignent qu'il est difficile de remonter à la source des financements que reçoivent les terroristes. Il semble que c'est pour cette raison que le terrorisme se porte bien partout sur la planète. Sergueï Gontcharov, président de l'Association internationale des vétérans des unités d'élite Alfa, membre de l'Académie des problèmes de sécurité, de défense et de maintien de l'ordre de Russie nous donne son avis :

« "Aujourd'hui les flux financiers illégaux ne sont contrôlés par aucune banque du monde. Si vous pensez que les gens qui sont au gouvernail du système financier mondial ont intérêt à contrôler ces flux, vous vous trompez. Chacun

---

141 Michel Chossudovsky est un économiste canadien. Il est professeur à la Faculté des sciences sociales de l'Université d'Ottawa, et le fondateur et directeur du Centre de recherche sur la mondialisation à Montréal.

en tire un profit en percevant des intérêts ou en obtenant quelque chose d'autre en échange. Aucun État du monde n'est en mesure d'ériger des barrières normales contre ces flux. Dans certains cas il n'y a même pas de volonté de le faire. Il s'agit de milliards et de milliards de dollars. Aujourd'hui, le terrorisme c'est une véritable mine d'or. Une mine d'or qui rapporte gros en plus."

« Le terrorisme n'existe pas sans fanatisme, bien qu'il soit fondé sur un froid calcul. On dit que le terrorisme est l'arme des marginaux, mais ce n'est pas vrai dans tous les cas, ni dans tous les coins de la planète. Auparavant, les puissances mondiales n'hésitaient d'ailleurs pas à aider les terroristes, qui leur étaient idéologiquement proches, mais ce n'est pas la seule source de financement des terroristes contemporains. Aujourd'hui les terroristes ont plutôt recours aux particuliers en s'adressant à des communautés, des associations humanitaires, des organisations religieuses, etc. Avec cela, le terrorisme s'autofinance de plus en plus, note l'économiste russe Youri Latov[142]*. »*

Cette position est confortée par plusieurs experts occidentaux qui, eux aussi, se posent de sérieuses questions.

« La gestion des comptes en banque des djihadistes montre qu'il s'agit de comptes ouverts en faibles apports, les coordonnées changent souvent, les comptes sont domiciliés auprès d'agences de banques réputées et fréquemment dans le même établissement.

« Les virements sont de petits montants et destinés vers des pays musulmans et de l'Europe. Par ailleurs, les retraits se font en espèces par les cartes de débit

142 http://fr.sputniknews.com/french.ruvr.ru/2013_05_08/Terrorisme-un-business-lucratif/

souvent en dépassement des quotas et via les réseaux de transfert de masse d'argent. Les opérations n'indiquent pas des règlements de frais habituels de consommation.

« Quant aux sources du financement, les injections viennent, sous la couverture, de fondations à vocation caritative apparente et de ramifications mondiales qui sont impliquées, selon plusieurs investigations, dans des affaires de malversations et de détournement de fonds destinés aux moudjahidines.

« Le phénomène de la prolifération de ce genre de fondations est de plus en plus rencontré dans notre pays durant les deux dernières années.

« Observation importante, les terroristes disposent de moyens structurés par l'utilisation des communautés charitables. Le recours à des entreprises d'import-export commercialisant des biens et des articles de consommation courante provenant du continent asiatique vers l'Afrique du Nord et le Moyen-Orient constitue un autre détour du financement jihadiste.

« Depuis un certain temps, ce type de sociétés nouvellement créées prolifère à un rythme très accéléré dans notre pays.

« Selon le Centre français de recherche sur le renseignement, le financement du djihad a pris une nouvelle dimension. La criminalisation des nébuleuses islamistes s'illustre davantage par les kidnappings, l'extorsion de fonds, le trafic de stupéfiants et d'armes et le blanchiment d'argent issu de ce trafic.

« La collecte de cotisations, la vente des livres religieux, l'organisation des causeries, les quêtes et les dons sur revenus personnels constituent également un moyen pour financer les efforts jihadistes de manière presque directe.

« D'après des experts, les revenus annuels des moujahidines atteignent quelque 1050,6 milliards de dollars U.S et se partagent entre la zakat, les profits industriels et commerciaux, le trafic des métaux précieux et la commercialisation des armes et des stupéfiants.

« Le marché noir où s'échangent bijoux et joyaux est, étonnamment, très florissant depuis une bonne période dans notre pays, au vu et au su de tout le monde, malgré les mises en garde de certains pays voisins inquiets d'être envahis par ce désastre et ne voyant pas d'un bon œil l'efficacité du contrôle des autorités tunisiennes tout en craignant la corruption qui pourrait aggraver la situation.

« Lutte contre le financement du terrorisme jihadiste

« En raison de la montée du terrorisme jihadiste, les Nations Unies ont adopté des mesures qui visent la prévention et la répression de tous les actes de son financement.

« Les États-Unis ont, pour leur part, promulgué une loi afin de renforcer les outils décelant et contrant le terrorisme en autorisant la publication des listes des personnes ou organisations terroristes internationales.

« Le Parlement européen a adopté des directives fondées sur les travaux du Groupe d'action financière sur le blanchiment de capitaux et estime que la stabilité financière peut être compromise par les activités des criminels pour canaliser l'argent d'origine illicite à des fins terroristes.

« En Tunisie et malgré l'obligation de suivre les mesures susmentionnées, on est loin de les appliquer. Les causes de cette non-conformité nonobstant notre disposition de systèmes de contrôles des paiements en local et à l'international efficaces et nos obligations de ratifier tous les accords internationaux en la matière restent à élucider.

« Pour entamer la longue marche vers le contrôle des moyens de financement du terrorisme islamiste en Tunisie et l'assèchement de ses ressources, la ratification et la mise en œuvre des directives des Nations Unies et à l'échelle mondiale est indispensable et ce, à côté de la déclaration des transactions suspectes, la consolidation de la coopération internationale et la vérification minutieuse des virements.

« La Tunisie doit entamer une revue de la concordance de sa réglementation relative aux structures qui peuvent être utilisées pour financer le terrorisme. Les organismes à but non lucratif étant spécialement l'un des maillons les plus faibles. Notre pays doit mettre en œuvre aussi des mesures permettant de repérer les transports physiques transfrontaliers d'espèces et un système de déclaration ou toute autre obligation de communication...[143] »

Le gouvernement canadien s'inscrit aussi dans cette logique.

« Le financement des activités terroristes consiste à réunir des fonds pour la réalisation d'activités terroristes. Il peut faire appel à des fonds provenant autant de sources légales, comme les dons personnels et les profits provenant d'entreprises ou d'organismes caritatifs, que de sources criminelles, comme le trafic de stupéfiants, la contrebande d'armes et d'autres produits, la fraude, les enlèvements ou l'extorsion.

*« **Les terroristes ont recours à des techniques semblables à celles qui sont utilisées pour le blanchiment d'argent afin d'éviter d'attirer l'attention des autorités et de protéger l'identité de leurs commanditaires et ultimement des bénéficiaires des fonds amassés.** Toutefois, contrairement au blanchiment d'argent, les opérations financières liées au financement des activités terroristes sont en général constituées de petites sommes. Par conséquent, lorsque les terroristes recueillent des fonds de sources légales, il est donc plus difficile de détecter et de suivre la trace de ces fonds.*

« Pour transférer leurs fonds, les terroristes utilisent le système bancaire officiel ainsi que des systèmes parallèles

143 Morad El Hattab, spécialiste en gestion des risques financiers, Business News, 26 janvier 2016.

de remise de fonds tels que les Hawala et les Hundi (NDLR: Hawala et Hundi sont des synonymes. Il s'agit de transferts de fonds qui existent depuis des siècles, mais qui aujourd'hui ne devraient être utilisés que par des travailleurs immigrés vers leur pays d'origine. Ce qui ne semble plus être le cas). Ils emploient également la plus ancienne méthode de transfert des actifs: le transport physique de l'argent, de l'or et d'autres valeurs par les voies de contrebande. Les analystes de CANAFE *ont trouvé, dans les communications faites à ce jour, que les fonds servant présumément au financement des activités terroristes sont transférés à l'extérieur du Canada par l'entremise des centres bancaires habituels vers des pays comprenant des centres financiers majeurs, ceci dans le but de dissimuler la destination finale des fonds*[144]. »

Dans un document émis quelques jours avant l'attentat du Bataclan à Paris, le FATF-GAFI (Groupe d'action financière internationale) basé à Paris (et qui ne publie qu'en anglais) abonde dans le même sens. Le problème, c'est que même si le document de ce groupe intergouvernemental est distribué sur le Web, il est impossible d'en reproduire ou d'en traduire des passages, le document faisant l'objet d'une mise en garde contre tout acte de piraterie ou, pire, de journalisme.

Bon…

Il n'empêche que ce qu'il est impossible de reproduire textuellement peut être résumé.

Ce groupe, donc, se préoccupe du phénomène des réseaux sociaux qui, s'il n'est pas nouveau, indique précisément que dans le recrutement des combattants étrangers pour le djihad, on en appelle à une mise de fonds personnelle pour se rendre dans les zones de combat. Ce qui, indique-t-on,

144 http://www.canafe-fintrac.gc.ca/fintrac-canafe/definitions/terrorist-terroriste-fra.asp

signifie qu'il faut mobiliser les différentes forces et juridictions pour identifier les combattants potentiels et les réseaux qu'ils utilisent, incluant ceux qui retournent chez eux.

Dans ce rapport pseudo-top-secret[145] on s'inquiète de ce que l'anonymat procuré par les médias sociaux puisse offrir un accès à des paiements électroniques aux sympathisants et commanditaires d'une cause, ce qui, selon les auteurs du rapport, pose un problème compte tenu de la popularité grandissante de ces réseaux.

Et, autre révélation, dans les zones où les forces gouvernementales sont peu structurées ou peu formées, les chances sont grandes que les terroristes puissent mettre à profit l'exploitation des ressources naturelles, comme ce fut le cas quand Daesh s'est emparé des zones pétrolifères en Syrie ou comme c'est le cas en Afrique de l'Ouest.

Ce rapport, rédigé à la demande de la France et des États-Unis, a été préparé pour les gouvernements participants[146] et, surtout, pour les entreprises privées qui font des affaires dans des zones à risques, ce qui est particulièrement souligné dans le document.

On y dit, surprise, que les « loups solitaires » et les petites cellules terroristes ont besoin de peu de financement pour leurs opérations parce que ces cellules ou ces acteurs isolés n'ont pas besoin de se soucier du contrôle d'un territoire, contrairement à de grandes organisations qui doivent mener des opérations de recrutement, maintenir des milices et même exercer un contrôle des frontières. Ce qui, évidemment, exige

145 http://www.fatf-gafi.org/media/fatf/documents/reports/Emerging-Terrorist-Financing-Risks.pdf

146 Australie, Belgique, Canada, France, Allemagne, Inde, Italie, Pays-Bas, Norvège, Portugal, Russie, Espagne, Suisse, Turquie, Royaume-Uni, États-Unis, Thaïlande , Kenya, Pérou, Égypte, Jordanie, Qatar, Arabie Saoudite, Israël, Ukraine, la Banque mondiale et les Nations Unies.

des sous, surtout quand, en plus il faut nourrir les militants, leur donner des systèmes de communication, de transport et planifier les opérations terroristes.

Les cellules autonomes opérationnelles, selon le Norwegian Defence Research Establishment, ont mené, entre 1994 et 2013, une quarantaine d'opérations en Europe pour un coût d'environ 10 000 $ US. Dans cette somme, c'est l'armement et les explosifs qui représentaient la principale dépense. Dans de tels cas, les montants nécessaires sont généralement amassés par les membres des cellules sous différentes formes : emprunt auprès d'une banque, trafic de substances, vol de voitures et même participation financière des proches ou de la famille.

Dans le cas des organisations plus structurées, l'opération ne sera guère différente. On sollicitera financièrement différents sympathisants à la cause, on utilisera à mauvais escient des organisations à but non lucratif, on se livrera à différents trafics, qu'il s'agisse de drogues, de cigarettes, d'armes, d'antiquités ou de ressources naturelles ou encore à des fraudes, ce qui inclut l'utilisation d'Internet, le vol d'identité et de numéros de carte de crédit. Le braquage de banques, tout comme l'extorsion ou le kidnapping, n'est pas interdit non plus...

ÉPILOGUE

LES CONSÉQUENCES

Première constatation: c'est le citoyen moyen qui paie la note et les seuls qui profitent de tout ce remue-ménage, ce sont les spécialistes de la sécurité et des systèmes de sécurité. Eux, ils font de l'argent et ils doivent être très en faveur de toutes les actions terroristes, surtout de nature religieuse (puisque cela n'implique rien de sérieux, pas de véritable bouleversement politique ou économique comme ce pourrait être le cas avec des organisations d'extrême-gauche établies et structurées).

Chaque fois qu'il se produit quelque chose, les commandes tombent sur leurs bureaux…

Et ce sont les citoyens, chaque fois, qui paient pour les limitations et les encombrements qu'ils créent au nom de notre sécurité.

Quand on y réfléchit, les victimes des actes terroristes, ce sont aussi les citoyens de tous les continents qui veulent voyager, tous les commerçants qui exportent ou importent. Les seuls qui tirent profit de la situation sont les terroristes eux-mêmes (mais ils sont là pour ça), certains gouvernements et de nombreux commerçants. Et tous ces gens développent des paranoïas coûteuses, surtout envers ceux ou celles qui ont le malheur de critiquer le système, particulièrement sur le sol états-unien.

« Une jeune Afro-Américaine a dénoncé récemment les fouilles des cheveux opérées sur les femmes noires lors

des contrôles de sécurité dans les aéroports. Son témoignage a permis à de nombreuses autres "victimes" de se faire connaître…

« […] Ces fouilles de cheveux sur les personnes afro-américaines ne sont pourtant pas récentes. En novembre 2012, la sœur de Beyonce, Solange Knowles, avait été victime de ce type de contrôle à Miami. Elle s'était alors empressée de tweeter sa mésaventure en utilisant le néologisme "Dis-crim-Fro-nation", contraction de discrimination et afro. "Mes cheveux ne sont pas un container. Bien que, j'y pense, je pourrais cacher un joint dedans", ironisait-elle sur le réseau social[147]*. »*

Ce n'est pas un détail. Les voyages en avion qui étaient un réel plaisir il y a 25 ou 30 ans sont devenus une véritable corvée, à cause de gestes terroristes financés par on se sait qui. Je me souviens (petite anecdote personnelle) d'un retour de reportage à Haïti alors que j'avais les deux pieds infectés.

En passant la douane à Miami, j'ai fait sonner le détecteur à cause de mes chaussures pourtant délacées. Je me rappelle très bien que l'agente m'a dit de repasser sous le détecteur et que si je le faisais sonner de nouveau, c'était « direction la prison ».

La scène se passait aux États-Unis où le niveau de paranoïa est probablement le plus élevé de la planète. Il n'empêche qu'avec leur suprématie monétaire et le sacro-saint respect que tout le monde leur voue, ils ont réussi à faire une prison de cette planète.

Au Canada, où l'on panique moins (avec raison), il en coûte quand même une fortune pour satisfaire nos voisins craintifs de la présence d'un éventuel terroriste dans un de leurs aéronefs en partance du Canada.

---

147 http://www.bfmtv.com/international/etats-unis-les-femmes-afro-americaines-denoncent-les-fouilles-des-cheveux-dans-les-aeroports-944753.html

« L'ACSTA (Administration canadienne de la sûreté du transport aérien) est financée au moyen de crédits du Parlement fédéral et relève du Parlement par l'entremise du ministre des Transports, de l'Infrastructure et des Collectivités. Dans le cadre de son engagement permanent vis-à-vis de la sécurité et de la sûreté des Canadiens, le gouvernement du Canada a récemment annoncé de nouveaux fonds exclusifs qui permettront de renforcer le système de transport aérien canadien dans une perspective d'attentats terroristes, de rehausser la protection des voyageurs aériens et de mieux harmoniser le système de l'aviation avec la sûreté internationale. Par conséquent, le gouvernement versera à l'ACSTA un montant additionnel de 1,5 milliard de dollars échelonné sur cinq ans afin d'améliorer la sûreté de l'aviation, par le biais du Droit pour la sécurité des passagers du transport aérien (DSPTA) du Canada[148]. »

C'était en 2010.

Tout cela nous coûte une fortune. Et je ne parle même pas des sommes dépensées aux États-Unis, en Europe et en Asie, pas plus que des règlements bêtement rigides et trop souvent sans fondement qu'on nous impose sous prétexte d'assurer notre sécurité.

Chose certaine, les terroristes, quels qu'ils soient, ont gagné la partie, ne serait-ce qu'en permettant à nos gouvernements de nous contrôler comme jamais cela n'a été possible dans l'histoire. À un point que l'Union soviétique, pourtant une maniaque du contrôle, n'avait jamais atteint.

Même si le califat n'atteint pas l'Amérique, la frousse qu'il nous aura donnée aura été suffisante pour changer nos vies.

---

148 https://www.tc.gc.ca/fra/sureteaerienne/page-168.htm

TABLE DES MATIÈRES

MARQUIS
Québec, Canada